Amanhã, a Psicanálise

O Campo Freudiano no Brasil

Coleção dirigida por Jacques-Alain Miller

Jacques LACAN
O Seminário
Livro 1: Os escritos técnicos de Freud
Livro 2: O eu na teoria de Freud e na técnica da psicanálise
Livro 3: As psicoses
Livro 7: A ética da psicanálise
Livro 11: Os quatro conceitos fundamentais da psicanálise
Livro 20: Mais, ainda

Jacques LACAN
Os Complexos Familiares na formação do indivíduo

Jacques LACAN e outros
A Querela dos Diagnósticos

Jacques-Alain MILLER
Percurso de Lacan

Catherine MILLOT
Freud Antipedagogo

Alain JURANVILLE
Lacan e a Filosofia

Serge ANDRÉ
O que Quer uma Mulher?

Stuart SCHNEIDERMAN
Jacques Lacan — a morte de um herói intelectual

Serge COTTET
Freud e o Desejo do Psicanalista

IRMA
Clínica Lacaniana

Gérard MILLER (org.)
Lacan

Paul BERCHERIE
Os Fundamentos da Clínica

Roger WARTEL e outros
Psicossomática e Psicanálise

Patrick VALAS
Freud e a Perversão

Michel SILVESTRE
Amanhã, a Psicanálise

Michel Silvestre

AMANHÃ, A PSICANÁLISE

Prefácio de
Jacques-Alain Miller

Tradução:
Ari Roitman
psicanalista

Jorge Zahar Editor
Rio de Janeiro

Consultoria de tradução:
Manoel Barros da Motta

Título original:
Demain la psychanalyse et autres textes

Tradução autorizada da primeira parte da edição francesa publicada em 1987 por Navarin Éditeur, de Paris, França, na coleção Bibliothèque des Analytica

Jorge Zahar Editor Ltda.
rua México 31 sobreloja
20031 Rio de Janeiro, RJ

Impressão: Tavares e Tristão Ltda.

ISBN: 2-86827-048-4 (ed. orig.)
ISBN: 85-7110-155-8 (JZE, RJ)

Sumário

Jacques-Alain Miller foi o primeiro a querer este livro; escolheu seu título, compôs o sumário e redigiu o prefácio. Desejo que ele encontre aqui a expressão de toda a minha gratidão.

DANIÈLE SILVESTRE

Prefácio

Este livro não é um todo único: é uma coletânea; os textos que reúne escalonam-se ao longo de quase dez anos. Compósito, no entanto é uno — pelo período que recobre, pelo debate que o agita, pelo estilo.

O período. É a década da grande transição. 1975: verifica-se o fracasso da Escola Freudiana, enquanto se afirmam o Departamento de Psicanálise, sua seção clínica e sua revista. 1980: Lacan dissolve, depois desaparece — não sem legar a alguns o significante da "Causa". A alguns: àqueles que escolheu? Aos bons, aos melhores? Não, àqueles que o preferem, simplesmente. O autor está entre estes; havendo-se adiantado entre os mais prestos, não cessa de justificar sua escolha multiplicando os trabalhos que, muitas vezes após tê-los suscitado, publicam *Ornicar?, L'Âne* e as *Atas da Escola da Causa Freudiana.* 1985 põe termo à transição.

Se esse período é comum a uma geração, *o debate* é próprio do autor, inclusive íntimo dele, que se esforçou por torná-lo exemplar. Médico, psiquiatra, irônico demais para ter fé em qualquer subversão, acreditou, quando se dirigiu ao Instituto, que entrava na psicanálise pelas vias da ortodoxia; foi por haver experimentado seus impasses que se aliou à Escola Freudiana. Essa virada é aqui um fato axial. Ele alimenta a polêmica: o autor é duro com o psicanalista que poderia ter sido;

orienta a reflexão, destinada a demonstrar pela exegese e pela experiência que Freud bem compreendido conduz a Lacan.

Um estilo, enfim, é aqui trabalhado, apto tanto para o comentário clínico como para a construção teórica, e não precisa mudar sua harmonia, trate-se de cinema ou de cozinha. Pretendeu-se não imitar Lacan, mas seguir o seu exemplo. Na escolha dos temas, pensou-se às vezes nos primeiros psicanalistas — Ernest Jones, por exemplo —, que se apossavam de seus bens onde quer que os encontrassem. É a lição de Parmênides ao jovem Sócrates.

O título do conjunto, extraído de uma série de crônicas escritas em 1983, responde à convicção e à preocupação do autor: que o psicanalista não poderia satisfazer-se com gerir pacificamente o adquirido de um discurso; que a rotina extingue os efeitos da interpretação; que só o novo tem chance de ser verdadeiro; que o amanhã já determina o hoje.

Trabalhos futuros se anunciam desde o presente, cuja primeira parte, "Direção da Cura", indica a sua ambição: demonstrar de que maneira a substituição do dizer de Freud pelo de Lacan se impõe tanto a partir da crítica interna dos textos como dos fenômenos da experiência.

Falei pelo autor. E falei no presente. Lamentavelmente, este livro é póstumo. Michel Silvestre não está mais entre nós. Michel Silvestre morreu.

Morreu de repente, de uma parada cardíaca, longe de Paris, em Tucumán, norte da Argentina, ao sair de uma conferência — aquela que fecha este livro e, para sempre, sua boca — intitulada "Ao Encontro do Real".*

---

* Conferência não incluída neste volume da edição brasileira, que compreende as duas primeiras partes da edição francesa original,

Isto foi a 27 de agosto de 1985, às quatro e meia da tarde.

Nós, que conhecíamos o homem, sentimos o que perdíamos. Você agora terá que saber, Leitor, o que por sua vez vai perder.

Dentre os alunos de Lacan, Michel Silvestre tinha-se revelado, após alguns anos, como o mais capaz de aprofundar a teoria do processo da cura,* conjugando a leitura freudiana com a referência clínica. Estava capacitado para entabular o diálogo com a velha Internacional no terreno desta, no veio de seus maiores artigos, sobre "A Transferência" e sobre "O Pai.". Ali iria demonstrar sua dimensão. Uma prática ampla e diversa, confirmada junto a Lacan; uma erudição segura, renovada por uma constante curiosidade; um juízo tanto mais firme quanto medido, sempre argumentado; sua escrita solta, que havia encontrado o regime adequado — tudo o designava, aos quarenta e poucos anos, para marcar — inclusive para além do Campo Freudiano, onde um lugar de primeiro escalão já lhe era reconhecido — o curso universal da psicanálise.

Terá êmulos? Seria preciso.

Mas mesmo que os tivesse, não deixaria de ser único. Por ter sido tão prematuramente tirado de entre os vivos, com o passar do tempo ele se tornará figura emblemática do que chamei A Grande Transição. Testemunhará para o amanhã que se podia estar junto a Lacan sem nada abdicar das liberdades e dos escrúpulos do espírito crítico e nem dos poderes do entendimento ou da originalidade da especulação.

E este livro durará enquanto durar a psicanálise.

---

sendo que as três partes restantes ("Leituras Freudianas", "Conferências" e "Críticas") irão compor um segundo volume, intitulado *Freud à luz de Lacan*. (N.T.)

* Ver nota do tradutor à página 37.

Organizei a coletânea junto com Danièle Silvestre. Todos os estudos produzidos para *Ornicar?* e *Analytica* estão distribuídos entre a primeira e a terceira partes, "Direção da Cura" e "Leituras Freudianas". O conjunto de notas críticas publicadas no gabinete de leitura de *Ornicar?* e em *L'Âne* forma a quarta parte. Uma seleção de casos clínicos e conferências — dos quais muitas vezes só havia uma transcrição — é apresentada na segunda e na quinta partes.

JACQUES-ALAIN MILLER

Élisabeth Doisneau e Jean-Michel Ribettes participaram do estabelecimento do texto.

A B E R T U R A

Amanhã, a Psicanálise

I — NOTÍCIAS DA PESTE

Onde está a psicanálise hoje?
Este final do ano 1983 não é uma data tão má para procurar algumas respostas a esta pergunta: como que por acaso, faz exatamente um século que a primeira musa da psicanálise exprimia, com uma recaída, seu desapontamento por ter sido abandonada por seu médico, Breuer. Anna O., para chamá-la por seu pseudônimo, talvez tenha ido um pouco longe demais. Sua intempestiva gravidez nervosa, que motivou a fuga de Breuer, era contudo a primeira manifestação dos efeitos do amor de transferência na história da psicanálise.

Jóias genuínas que se tornaram pedras vulgares

Não era certamente o primeiro assalto da histeria contra o discurso do Mestre. Nem o primeiro recuo deste em tais circunstâncias. O mestre está sempre prestes a desmoronar quando o amor interroga seu saber muito de perto. E se a medicina recorre cada vez mais à ciência e a seus derivados técnicos, os médicos por sua vez ficam desorientados se não são mestres.

Breuer cuidava demais das certezas conjugais de sua senhora, o que o impediu de perseverar e inventar a psicanálise. Em 1883, a psicanálise bem poderia ter sido abortada se Freud não houvesse aceitado o desafio, retomando o trabalho onde Breuer se fez ausente.

Assim, a psicanálise nasce ao prosseguir Freud onde Breuer, embora um mestre, renuncia. Esse ponto de passagem, recomeço tanto quanto ruptura, é marcado — salientemos — por uma manifestação de amor.

Que, desde então, este seja chamado "de transferência", em nada diminui sua dimensão. O amor é a vertente do laço analítico que todo analista tem o dever de aprender a manobrar se quiser sustentar sua prática como sua ética exige.

Para isso, Freud deu algumas indicações, aliás bastante raras, Além de ser justamente contra os conselhos, reconheceu no fim da vida que sua resposta ao amor — pessoal, especificava — era ocupar o lugar do pai. O que convinha muito às histéricas. E com isso Freud inventou a psicanálise.

Para ele, a psicanálise era um tratamento das doenças mentais; era mesmo o tratamento essencial das neuroses, já que duvidava de sua eficácia nas psicoses.

Embora esta recordação tenha ares de evidência, ela é necessária porque tal evidência é esquecida. A psicanálise não foi de modo algum descoberta como uma disciplina do espírito, um anexo, por exemplo, das ciências humanas. Teríamos antes que nos espantar pelo sucesso aparente que goza pelos lados da universidade, onde seu vocabulário floresce a partir do vestibular e onde Freud se junta, em boa aliança pedagógica, aos bons autores de psicologia.

É de fato a cultura como tal que se vê investida de conceitos nascidos no divã. O lapso, o ato falho, o sonho, jóias genuínas entre os efeitos da linguagem na época em que a pena de Freud as decifra, ao começo do século, são agora pedras vulgares que revestem tanto a mídia como nossa vida cotidiana. Quem não se autoriza a fazer o diagnóstico e a interpretação de seu apresentador de televisão favorito, de seu deputado e até de seu vizinho?

Freud ou Breuer

Psicanálise para todos, então? Não! Pois no pólo oposto, no daqueles que recebem diretamente o apelo dos que sofrem da mente —

os médicos, por exemplo — a psicanálise continua sendo igualmente longínqua, para não dizer mantida a distância. Não é que se negue sua eficácia, admitida pelos que nisso se empenham. Nega-se, antes, sua existência. Basta calcular os quilos de drogas ditas psicotrópicas prescritas a qualquer pessoa pela medicina funcional, avaliar a superabundância de artigos médicos que asseguram o fundamento de tais prescrições, e medir, enfim, o entusiasmo de nossos terapeutas pelas elucubrações organicistas para se convencer de que a medicina continua fechada à psicanálise.

Por que se surpreender, por outro lado, já que reencontramos nesse desconhecimento a oposição de partida entre Freud e Breuer, entre o mestre e o psicanalista?

Está aí aliás a explicação da atitude de certos psicanalistas que vêem num contrato firmado com o médico uma abertura para fundar sua notoriedade científica. Pelo discurso do Mestre, eles têm razão, e sua incorporação às cátedras universitárias logo os recompensa por sua dócil perspicácia.

Pelo discurso da psicanálise, é outra história; esse contrato implica que a psicanálise — convertida em especialidade médica — torna-se um tratamento "entre outros" da patologia mental.

Assim, voltando à nossa pergunta do início, é pelo lado dos psicanalistas que as respostas têm que ser encontradas. Isso, aliás é o de menos. Que a cultura esgote com grande rapidez as significações dos significantes produzidos pelo discurso analítico, eis um fato que só prova a fertilidade e a riqueza deste último. Cabe aos psicanalistas provar que suas ferramentas conceituais não se desgastam ao conhecerem tão comum abuso; cabe a eles inventar novas significações. É pura lógica, inversamente, que o corpo médico faça cara feia para reconhecer uma técnica que lhe parece subverter suas próprias concepções terapêuticas — pois a psicanálise se funda antes de tudo no fracasso dessas concepções. Cabe aos psicanalistas mostrar a coerência de sua prática. Longe de contrapor à ciência médica uma misteriosa magia do verbo, a psicanálise pelo contrário denuncia aquilo que, da medicina, continua viciado pelo obscurantismo e é chamado ingenuamente, por seus adeptos, de psicoterapia. A psicoterapia, de fato, sempre é a utilização médica da virtude soporífera, portanto — e com freqüência — terapêutica, do discurso do Mestre.

A menos — e aqui reside o núcleo do problema — que os próprios psicanalistas se satisfaçam com tal situação e dela se aproveitem.

Como numa autopista?

Recordemos que, se Freud inventou a psicanálise, fundou com ela uma profissão da qual vive, ano bom, ano ruim, um número apreciável de clínicos devidamente registrados.

Ora, o conforto desses clínicos repousa em parte no sucesso cultural da psicanálise, que desperta a curiosidade, e no ambíguo refúgio que lhe oferece a medicina, assegurando-lhe uma relativa respeitabilidade.

Mas esse conforto depende, sobretudo, da robustez do que Lacan chamou de procedimento freudiano. Jamais nos surpreenderemos o suficiente com o fato de que basta deitar um ser falante que sofre e propor-lhe que associe livremente para que, a um só tempo, ame o seu psicanalista, deposite nele sua confiança e veja atenuarem-se seus sintomas até desaparecerem após um tempo mais ou menos prolongado. Por isso Lacan pode acrescentar que a psicanálise, em seu conjunto, é freudiana. Que seja freudiana, nesse sentido, é o que assegura aos analistas que sua prática caminha no sentido do maior declive, como numa autopista. Seu principal aliado, nesse aspecto, é o próprio inconsciente, cuja mola mestra consiste em apoiar-se no analista para fazer o sujeito repetir aquilo que já sabe. A transferência opera o milagre de fazê-lo crer que se trata de algo novo. Se o analista tem a habilidade de curvar-se docilmente ante essa repetição, o tratamento (*cure*) pode, até certo ponto, ser levado a cabo. Só até certo ponto, até aquele que Freud denota como um maciço, insuperável a seus olhos — o da castração.

A psicanálise de hoje, em seu conjunto, está sem dúvida ali: no ponto em que Freud a deixou. Por isso surge agora, com toda simplicidade, a pergunta subjacente à primeira: a psicanálise de amanhã será lacaniana?

II — NA ENCRUZILHADA DOS CAMINHOS

A psicanálise de amanhã será lacaniana? A pergunta pode provocar um sobressalto. E com razão. Trata-se então de mostrar sua pertinência.

É inegável que a psicanálise se pratica em todo o mundo. Sua extensão está agora consumada. Freud, já se sabe, tinha essa preocupação. Ele queria os psicanalistas associados: estes já o estão — em sua maioria.

Essa vontade especifica o que se denomina IPA: associação, psicanalítica, internacional. Mas Freud ultrapassou o fato de ter fundado um império: assegurou-lhe também uma sólida perenidade. Seria imprudente predizer a queda, ou mesmo a decadência, e menos ainda o enfraquecimento da IPA, cujo destino é estritamente equivalente ao da própria psicanálise.

Esplendor e miséria de uma associação

Isso por duas razões. A primeira, porque está definitivamente amarrada ao nome de Freud. A prova disso é que apenas os que ele mesmo excluiu não são freudianos; assim como só Freud detinha esse poder radical: o de recusar seu nome a um psicanalista. Desde 1939, a IPA pode expulsar de seu seio um analista, mas não pode impedi-lo de dizer-se freudiano.

Segunda razão, mais surpreendente: cada analista que se abriga nessa associação não encontra em seu próximo senão a estrita duplicação de si próprio. Só o que os diferencia são as medalhas de brinquedo que permitem sua classificação.

Lembremo-nos dos anéis que Freud distribuiu a seu comitê secreto. A hierarquia — oh, quão rigorosa! — nada faz a não ser mascarar, com uma diacronia que impõe a cada um a paciência e o respeito dos antigos, uma sincronia de fato onde todos se igualam, forçosamente, no nível mais baixo da homeostase.

Duas razões, dois efeitos. O primeiro é excluir a teoria tanto das apostas que animam o grupo quanto das lutas surdas que nele se desenrolam. Cada um pode avançar seus peões em silêncio; se fala, é somente para que se possa citá-lo. O que explica as sempre copiosas bibliografias dos artigos do *International Journal of Psycho-Analysis*. O debate, nessa associação, é particularmente aberto; mas a polêmica parece não ter outra dimensão senão a de exposição das teses que a nutrem. A justificativa, desopilante, proposta por um deles, é a de que se o inconsciente suporta a contradição, os analistas também devem fazê-lo. O que continua justificado: uma associação não é uma escola.

O outro efeito, em boa lógica, concerne à prática. Reduzir as incidências do debate teórico permite incentivar as variações teóricas de cada um, já que estas são inconseqüentes. Maneja-se assim o que Freud chamava de narcisismo da pequena diferença, a respeito do qual os analistas são tão minuciosos. Por esse meio, fica garantida a conformidade da prática de todos. A clarividência de Freud consistiu em fiar-se no procedimento que inventara. A pergunta decisiva para a constituição de uma associação de analistas era a seguinte: como evitar que os analistas causem dano ao contarem com a ajuda do peso da instituição onde procuram se abrigar? Como fazer para que entrem o mínimo possível em oposição ao funcionamento da estrutura?

Esta pergunta encontrou uma resposta célebre: neutralidade benevolente. Freud não chegou a isso, pois a expressão não é sua. Por outro lado, não aprovava em absoluto a benevolência, e neutralidade para ele era só a do significante.

Mas a esperança de todo analisante, quando dá um corte decisivo em seu sofrimento ao transformá-lo em demanda de análise, é a de que o analista se reduza a um significante. Isso também é o que se obtém quando o tratamento atinge seu verdadeiro fim. Entre ambos, o que há é a própria psicanálise, onde a dialética do desejo abala um pouco as boas resoluções de neutralidade do analista. Oh, surpresa! No tratamento, o analista é objeto de uma transferência. Isto quer dizer que ele não é interrogado apenas pelos significantes que o analisante lhe confere. É também interpelado sobre o desejo graças ao qual suporta as paixões que o sujeito lhe impõe. Aqui a neutralidade se estilhaça e a benevolência revela sua fadiga; sérios apoios se fazem necessários para manter o analista em sua poltrona.

Os avatares do psicanalista

O movimento analítico acreditou por um momento que podia encontrar esse apoio na realidade à qual trata-se de adaptar o eu do sujeito, auxiliado ou não pelo do analista. Sabemos o que quer dizer neutralidade em política: mascarar os compromissos para ajudar a boa ordem da economia capitalista e o desenvolvimento harmonioso dos diversos imperialismos. Ao contrário do que se disse, adaptar à realidade não implica manter o desejo sob envoltórios. Pois a realidade é um fantasma cuja função é compatibilizar o desejo com o discurso do mestre.

Eis por que tal solução está longe de ser a pior. Essa solução — terapêutica — conserva toda sua atualidade, embora o debate a ela referido remonte aos inícios do ensino de Lacan. A realidade, como o discurso do mestre, está sempre aí. Como seria bom acomodar-se a isso! Recordemos — é também um sonho de Freud.

Ora, o desejo inconsciente não entende assim: o neurótico, quando consente na análise, não é decididamente razoável. Questiona no seu psicanalista o arbítrio de manter-se neutro e benevolente, e nega-se a qualquer solução terapêutica: pouco lhe importa o princípio de realidade, mesmo estando de acordo com o do prazer. É mais além que ele aspira armar sua barraca.

Então, o que ocorre habitualmente é que o psicanalista se desmorona. Não que renuncie à sua prática, mas exclui dela o desejo, aquele que Lacan chama: desejo do psicanalista.

Sua forma mais comum é a obsessivação, da qual uma das manifestações mais conhecidas é a remissão a Cronos, o mestre do tempo, para decidir o horário e a duração das sessões. Tentativa ainda tímida de introduzir na direção da cura um Outro mestre de seu desejo.

Mais além estará o diagnóstico, não de estrutura, determinante de uma direção possível da cura, mas diagnóstico de analisabilidade, que permite aos analistas selecionarem uma clientela ajustada a seu conforto; as surpresas do desejo serão creditadas a erros de diagnóstico.

Mas o analista pode desmoronar mais insidiosa e radicalmente ao recorrer às miragens oferecidas pelos outros discursos para lidar com as dificuldades que não pode mais enfrentar. Técnicas de grupo, terapias familiares, teorias marginais e quase delirantes encontram aqui seu estatuto.

Roupagem nova

Tais avatares do psicanalista não devem ser atribuídos a uma eventual insuficiência individual. São conseqüências da estrutura do sujeito que, pelo procedimento freudiano, encontra respostas, mas também perguntas inesperadas.

Vemos então através de que lodaçal Lacan teve que marcar a trilha de seu ensino para introduzir novas respostas. É por isso também que o retorno a Freud foi o primeiro tempo de seu ensino. Era preciso retificar os desvios de uma teoria, mantendo ao mesmo tempo nos analistas o respeito a uma prática que os ultrapassa radicalmente.

O atendimento dessa segunda necessidade leva-o a prever o apagamento de seu nome como uma condição para a extensão de seu ensino. O que se demonstra com uma rapidez surpreendente. Certos significantes introduzidos por Lacan — com quantas precauções! — infiltram-se doravante pela literatura psicanalítica. Nada de instintos, e sim pulsões — quando não, simplesmente, desejo; nada de analisados, mas analisantes; o sujeito-suposto-saber serve para todas as receitas, no varejo e no atacado; o grande Outro, enfim, distribui generosamente seu estoque de significantes a pedido do sujeito — do inconsciente. Não falemos do estádio do espelho: há muito deixou de responder, ao psicanalista que o interroga, que ele não é o mais belo.

Tais empréstimos poderiam indicar um progresso no pensamento do analista, assim melhor equipado. Sob a condição, pelo menos, de que não se limitem a novas palavras para significações antigas. Pode-se muito bem rebatizar certas ruas, mas se o itinerário do psicanalista continua sendo o mesmo, usará sempre a de maior declive, aquela que leva à estrebaria.

III — O SONHO DO PSICANALISTA

— Mas então tudo vai bem na psicanálise?
— Certamente, vai tudo bem na psicanálise hoje.

Os pacientes associam na maior liberdade e os psicanalistas psicanalisam pacificamente. A psicanálise, no compasso do mundo moderno, isto é, afastada com desdém do debate científico mas acolhida com entusiasmo pela mídia, parece agora propícia ao conforto do psicanalista.

Como vimos, há uma rotina da associação livre. Mas essa rotina, que deve ser creditada ao procedimento freudiano, tem sua eficácia. Vê-se correntemente que os dois parceiros assistem ao desenlace satisfatório da aventura que decidiram viver juntos. Cada um parte para o seu lado: feliz.

A queixa não é o sofrimento

Para isso bastam poucas coisas. Que ambos tenham cumprido os termos de um contrato eqüitativo. Que o analisante, como Freud preconizava, creia um pouco no inconsciente e observe com cuidado os lapsos, atos falhos e interpretações que seu analista não pode deixar de lhe fornecer. Que o analista, experiente na escuta requerida por sua função, isole-se sabiamente na posição que lhe é intimada pela transferência.

Se tais condições são cumpridas, não há dúvidas de que a saída, como dissemos, está no final. Chamamos isto, correndo o risco de sobressaltar os analistas, de cura [*guérison*]. É preciso coragem para escrever isso, pois o leitor de Freud certamente se lembrará do que ele dizia: a cura deve vir "por acréscimo". Que achado, esta expressão! Pelo excedente que evoca, ela impõe a dedução de que a cura não estaria prevista no início da viagem.

Podemos nos surpreender com isso. Não é cura o que reclama aquele que vai a um analista pedir que o alivie do peso de seu sofrimento? Por que será que esse alívio, quando é enfim obtido, pode ser concebido como uma sobrecarga?

Sublinhemos aqui — para voltar ao tema — que a queixa, quer dizer, a demanda (demanda de análise, entre outras), e o sofrimento são duas coisas diferentes. Pode-se sofrer mentalmente, negando-se a fazer queixas. Antes morrer que pedir ajuda, tal é a divisa da maioria. A recusa à queixa parece ser considerada como um alto valor moral — e nos perguntamos por quê. Falamos da queixa séria, não daquela que se dirige ao cônjuge, ao médico da família ou à vendedora de frutas e legumes. A exceção, então, é dirigir a queixa de tal modo que isso produza conseqüências — isto é, dirigi-la a um analista.

Suponhamos pois que tal queixa chegou ao endereço certo — o de um analista qualquer. Constata-se então, mesmo neste caso, que o sujeito, aquele que fala, é suscetível no que se refere à sua queixa. Suscetível de não querer separar-se de seu sofrimento. Para que o aceite, será preciso que o sofrimento se desprenda dele insensivelmente, imperceptivelmente, sem que possa levantar a guarda. Às vezes, inclusive, pode ser que se negue a creditar esse efeito a seu analista. Porque, nesse caso, acreditaria ter contraído uma dívida com o analista e não poderia dele desquitar-se, isto é, considerar-se quite.

Eis por que é preciso tempo, um tempo à medida da suscetibilidade do sujeito e da delicadeza do analista. Às vezes, é preciso um tempo tão longo que ambos, o analista também, já não sabem mais qual era a aposta do início. Quando se dá a cura, quando ocorre a separação, a paisagem parece mudada e os personagens. outros: nenhum dos dois é mais o que o outro pensava, como na novela de Alphonse Allais que Lacan apreciava e que *Ornicar?* acaba de publicar. Então, quem se curou? De quê? E quem o curou? Existem, assim, separações que são surpresas. Não esqueçamos que o amor estava em jogo.

Há contudo uma diferença com o teatro. Na psicanálise, embora o amor seja também o lugar das surpresas, não é médico. Ao contrário. Teríamos que nos perguntar se a cura que se obteria não designa o que o próprio tratamento produziu: o chamado amor de transferência.

Voltemos à distinção que qualificávamos de radical entre a queixa e o sofrimento. É radical porque oferece uma escolha ao analista: tratar a queixa ou questionar o sofrimento. Não é a mesma coisa: a queixa é uma palavra; o sofrimento, uma paixão.

Vê-se que, para o analista, a diferença é de vulto. A queixa se limita às palavras, que — como todos sabem — voam. A queixa deriva então dessa famosa escuta da qual um velho cômico fez seu grito de chamada: "Escuta! Escuta!" Empresta-se a orelha, não se a dá. É certo que muitas vezes o analista dá voz, embora secundariamente, à sua escuta, tanto mais valiosa na medida em que nada lhe assegura estar atenta, e nem sequer ser pertinente. Chega-se a dizer que, por ser oblíqua, não será senão melhor ajustada: os psicanalistas chamam isto de mal-entendido — adequado precisamente para os processos do inconsciente e suas formações. O essencial é que tal escuta seja paciente: pelo tempo que for necessário.

Então por que não se deslocaria o sintoma pelo simples fato de que se o escute, já que na queixa mencionada temos que ouvir principalmente o sintoma?

O sintoma é aquilo que capenga, mas também é o que se acrescenta ao sofrimento para fazer dele uma queixa. O sintoma implica um endereço onde será decifrado. Dito isto, o sujeito pode ser perfeitamente indiferente à cifra de seu sintoma. Olhem em torno de vocês: os sintomas fervilham, e deles vocês conhecem, eventualmente, seu ciframento, sua significação. Mas os que portam esses sintomas zombam dela a mais não poder.

Portanto: de um lado, um sofrimento que o sujeito pode suportar com um heroísmo estóico e sem soltar um pio. De outro, os portadores de sintomas que chateiam os que os cercam, sem contudo nada sofrerem. Quando ambos se juntam numa só pessoa, isso pode produzir uma demanda de análise.

Temos então aqui uma visada possível da análise, uma visada "terapêutica": trata-se de deslocar o sintoma para separá-lo do sofrimento. Este é o objetivo que assume o analista quando escolhe tratar a queixa de seu paciente — o que se chama, em termos técnicos, analisar a demanda. Com paciência, atinge-se mais uma vez esse objetivo: o sintoma volta ao seu posto e pára de alimentar a queixa do sujeito. De quê — é o caso de dizê-lo — a gente se queixaria? O sujeito está curado, pois não se diz mais enfermo. Seu sintoma já não perturba seu comportamento nem sua palavra — pelo contrário, ele agora regula sua conduta. O barulhento compromisso com suas pulsões tornou-se um harmonioso compromisso com a realidade, isto é, com seu fantasma. O sujeito está adaptado, pode cuidar galhardamente de suas ocupações habituais.

O despertar é possível?

É claro que há uma condição para essa longa paciência, essa tranqüilidade serena: a de que o analista respeite o adormecimento de seu paciente na medida em que, de início, sua demanda de análise era um despertar. Escutar a queixa do sujeito consiste em cantar-lhe uma canção de ninar. O risco é que ele próprio, o analista, também durma.

Felizmente — e isto explica por que tudo funciona tão bem — o melhor guardião do sono é o sonho. A psicanálise de que estamos falando aqui é a arte de produzir um sonho em tandem. Basta que cada um sonhe o sonho do outro. O que poderia ser mais simples, desde que nos submetemos à dialética do desejo?

Ter-se-á compreendido que o restabelecimento em psicanálise é esse sonho. Seu efeito é aquilo que Freud chamava de homeostase: o equilíbrio das tensões em seu nível mais baixo. O psicanalista sonha que é psicanalista, e o analisante, que está curado.

Acontece às vezes de o motivo do sonho, esse significante privilegiado encontrado na véspera, ser um significante lacaniano — como vimos, eles agora circulam pelas ruas — e, então, analista e analisante sonham ambos que são lacanianos. Há gente para quem o sonho se torna um pesadelo, mas é raro. Isso contudo provocou, há pouco tempo, certos sobressaltos no movimento analítico: os sonhos não concordavam mais uns com os outros, e cada um foi sonhar por seu lado.

Enquanto durar o sonho, com efeito, tudo irá bem.

Por trás da pergunta que fizemos mais acima ("a psicanálise de amanhã será lacaniana?") surge assim uma pergunta subsidiária: os psicanalistas podem despertar? Para isto bastaria — talvez — que sua escuta benevolente deixasse de ser álibi para seu entorpecimento.

IV — O CHAMADO DO PAI

Por que despertar o psicanalista? Por que perturbar um idílio — o do casal analista-analisante — quando este pode contribuir para a serenidade e a satisfação de cada um?

Seria certamente uma tolice, ou pretensão despropositada, que esse despertar tivesse que ser invocado em nome de um ideal qualquer.

É por isso, aliás, que o ideal oferece abrigo ao analista que adormece e sonha que está curando. Freud é formal a esse respeito: nada é mais contrário à função do psicanalista do que o ideal. Recordemos que era este o viés pelo qual ele questionava a cura [*guérison*] como finalidade do tratamento [*cure*].

Quem poderá sustentar o termo "cura" quando certo analisante vem à análise para reconhecer que ama aquela com quem vive há anos e que pode, assim, casar-se com ela? Não insistamos no exemplo inverso para não perturbar a paz dos casamentos, mas também é encontrado cotidianamente. Quem poderá falar de cura quando certa analisante obtém da análise a certeza de que aquele cujas insuficiências e carências descreve com tanta complacência é de fato o único que pode sustentar a função de genitor, função que ela pensava que devia negar-lhe? Pois o sofrimento, que pode eventualmente disfarçar-se como demanda de restabelecimento, tem sua origem — sempre — nas relações com o outro sexo. Sempre e para todos, incluindo homossexuais — que justamente não compreendem por que o sexo de que se crêem afastados insiste em atormentá-los: basta terem um parceiro para que ele seja do outro sexo.

Não ousaríamos fazer tal lembrete, quase banal, se não devêssemos suspeitar que os psicanalistas são os únicos a esquecê-lo.

Discordâncias para não esquecer

Para o psicanalista, a cura do analisante não pode ter outra medida nem expressão senão ao ser por este demandado. Isso não é de modo algum necessário, e menos ainda constante, para demandar uma análise.

É mais freqüente que o analista apele à cura para interpretar essa demanda para si mesmo e justificar seu engajamento.

Por isto, o ideal pode ser invocado para explicar esse recurso. Ele é desde sempre aquilo que faz esquecer as discordâncias nas relações entre os sexos e acreditar numa união pacífica entre os seres. Freud fundou aí a psicologia das massas.

Para curar seu paciente, o analista buscaria de bom grado seu ideal na massa que o alberga, a da sociedade. Isso já se viu, no seu tempo, e se chamava *ego-psychology*. Ela sobrevive, mas com uma diferença. O ideal com que se espera um alívio para o sexual não foi tirado do ambiente social. Como acreditar nele, por outro lado, se esse ambiente se apóia na sexologia para fazer do sexo uma regra para saber viver?

Para desviar esse golpe baixo do discurso comum, o psicanalista não tem outro recurso além de oferecer-se como modelo obrigatório para atenuar aquilo que manca em seu paciente. Sua neutralidade não será a prova de que a assepsia sexual e a temperança do desejo são condições para atingir a sabedoria? A identificação ao analista — pois esta é a expressão consagrada para tal solução ideal do tratamento — é no entanto secundária. De fato, ela se baseia num erro acerca de um aspecto essencial da teoria freudiana, aquele que concerne à função paterna.

Os mesmos que se espantam com tristeza pela pouca eficácia da *ego-psychology* — especificamente os analistas internacionais — deploram o enfraquecimento, que crêem constatar, dos valores familiares. O pai e a autoridade que ele encarna não teriam mais o crédito de outrora. Então, evidentemente, dizer ao pequeno Édipo que ele quer matar seu pai o faz divertir-se muito. E com razão: o pai já está tão enfermo!

Realmente! Primeiro, indagamos através de que tela os analistas podem diagnosticar essa degradação do pai, quando os amos que nos governam não têm vergonha de usar a máscara dele com notável eficácia. Não se justificaria, antes, sua manutenção, reforçada por uma *soi-disant* decadência?

Seria uma sorte, de fato, que o pai fosse aquele que imaginamos. Ele saberia livrar seus filhos e filhas das preocupações dos respectivos sexos — e liberar os analistas das resistências de seus pacientes.

Mas esse pai-bondade não é o de Freud, que denuncia sua ilusão e duvida de seu porvir. Mas Freud subestimava a solidez da religião. Que os analistas venham a pedir auxílio a esta não é um bom augúrio para o futuro da psicanálise.

Sério mal-entendido, denunciado não obstante por Freud quando manda Jung a seus *Schwärmereien*. Porém, a religião fundamenta seu poder na iniciação que garante seu futuro. Por outro lado, não tem ela também a experiência do inconsciente, descoberto mas não inventado por Freud?

A condição do desejo

Esta experiência parece ter ensinado uma coisa aos religiosos: nada como uma boa proibição para rejeitar parcialmente o chamado imperioso do gozo. Só parcialmente, mas essa parcela é a que torna possível o desejo sob a cobertura da legalidade.

"Sob a insígnia do falo", poderia gritar aquele que tivesse a loja do desejo garantido. Se o analista se coloca aí, é por equívoco: só como gerente. O proprietário está em Roma. E as chaves de São Pedro só abrem pela metade as portas do gozo.

O analista pode sentir-se às vezes bem fraco diante da religião. Como poderia acreditar em qualquer proibição se é obrigado a saber que o chamado do gozo é uma imposição? Ou seja: aquilo que Freud denomina super-eu.

Com o desejo, embora não o possa garantir, resta-lhe uma esperança desde que não esqueça de que o pai que Freud lhe legou já está morto. Portanto, não vale a pena contar a história do pequeno Édipo. O pai já está morto para fundar a condição do desejo do homenzinho: não gritar muito alto porque um morto sempre pode acordar.

A morte do pai garantiria o sono do psicanalista por ser propícia para despertar o desejo do psicanalisante?

Seria esquecer o gozo, que apela não ao pai, mas ao Outro sexuado. Este é quem corre o risco de gritar alto demais, e no entanto é preciso passar por ele. De todo modo, a psicanálise não vai fazer campanha pela masturbação!

Duro despertar para o psicanalista, quando suspeita que o apoio do pai não lhe bastará para manter seu lugar. Duro despertar quando constata que a tarefa do psicanalista não é a de dourar o brasão do pai, que não estava embaçado, e sim a de cuidar do sujeito encarnado pelo indivíduo que se deita em seu divã.

V — O SUJEITO DIVIDIDO

Quem é aquele que procura o psicanalista para empreender o que chamam de psicanálise? Como denominar aquele que aceita confiar à linguagem, e através dela, o que pensa e aquilo de que sofre? Não nos enganemos: nessa questão de palavras, a palavra escolhida tem suas conseqüências.

Freud decerto parece não se ter embaraçado com isso: doente, dizia sem cerimônia. Eis uma falta de delicadeza própria para amedrontar mais de um postulante. No mesmo movimento, tampouco hesitava em chamar de *médico* o interlocutor de seu doente, o psicanalista. Como se vê, o inventor da psicanálise tendia a manter-se em contato com o corpo médico, sua ciência e sua vocação.

Do alcance das palavras

Não se trata de fazer pouco caso dessas conexões. Aliás, a preocupação da psicanálise dita ortodoxa é se prevalecer delas, sem preocupar-se mais com os compromissos que isto implica, entre outros o de não ser admitida nesse corpo se não aceita ter como assento um banquinho dobrável; este tem, além do mais, a incômoda tendência a fechar-se sozinho.

Isto não é tudo. Mais inquietantes serão as macaquices pseudocientíficas que, sem humor algum, certos textos não obstante chamados de analíticos propõem quando seus autores fazem esforços para colocar em estatísticas as formações do inconsciente. "Vocês querem nos passar gato por lebre com sua terapêutica e sua ciência", dizem com efeito os homens da arte: "Provem-nas!" E o psicanalista se agarra ao seu banquinho, sem que sua resposta raramente vá além da invocação de seus títulos universitários.

Pois é agora uma idéia preconcebida: tais provas necessitam um julgamento que provenha do individual, da experiência feita, da psicanálise. E embora a cura não encontre outra prova a não ser um testemunho extremamente contingente, a ciência e a técnica que tornam possível esse testemunho dependem de fatores discutíveis. Assim, o inconsciente continua sendo uma hipótese, necessária apenas pelas conseqüências e efeitos que ela permite e justifica. Assim, também a transmissão da doutrina continua submetida a práticas institucionais que em nada se distinguem, exteriormente, de uma iniciação qualquer. Não esqueçamos que essa questão da formação de psicanalistas esteve sempre no centro do conflito que contrapôs Lacan à psicanálise internacional.

Neste sentido, conhece-se também outra idéia preconcebida: bem poderia não ser obrigatório dizer-se enfermo para empreender uma psicanálise quando, por exemplo, a vontade de algum dia ser psicanalista surge no horizonte daquele que demanda. Este caso, de contornos extremamente incômodos, torna-se ainda mais obscuro pelas brumas que o termo psicanálise didática introduz. Sem doente, não há doença; e sem doença, não há informações para alimentar a máquina de estatísticas. Como avaliar, por outro lado, uma demanda que seria de "pura" formação? Lacan responde invertendo a questão: toda psicanálise é antes didática, sendo terapêutica apenas acessória ou prematuramente.

A dificuldade terminológica que expusemos de início repousa na seguinte constatação: daquele que se deita e fala no divã surge uma entidade inédita até o advento da psicanálise. Se o divã é um lugar de achados, descobertas e encontros, aquele para quem esses efeitos se produzem tem a desconcertante surpresa de que nem sempre — é mesmo a regra — consegue reconhecer-se. Viver "sob transferência" — como se diria "sob o império da cólera" ou "sob a IV República" — acarreta esse primeiro e maciço efeito. É essa entidade inédita que se trata de nomear.

Podemos compreender aqui uma das origens do desvio doutrinário da *ego-psychology*. Antes de se esforçarem por captar e conceituar essa nova entidade, esse avatar do ser falante, *homo psicanaliticus,* os analistas dos anos 50 se ativeram à entidade encontrável nas relações sociais e coletivas, à qual convinha muito bem a denominação freudiana de *eu.* Desde então, o que o *homo psicanaliticus* revelava era um *eu* desfalecente — e o tratamento podia encarar como ponto de mira ideal o restabelecimento e mesmo a integridade desse eu doente. Como o eu, construído em parte com identificações, é compatível com os dados coletivos, os analistas da *ego-psychology* poderiam manter a esperança de satisfazer as exigências dos homens das ciências ditas humanas.

No entanto, nenhum desses analistas jamais ousou escrever que os "eus" deitavam em seu divã — e com razão, posto que ambicionavam designar assim apenas aqueles que iriam se levantar dele. Quando surge na pena de Freud a palavra "paciente", é ainda por contaminação médica, e Freud só fez uso dela de modo discreto. Pois embora ninguém possa contestar que a psicanálise é, para aquele que a ela se presta, uma longa paciência, o erro seria deduzir disto que tal paciência reclama uma igual passividade.

Um conceito não se surrupia

Para evitar tal erro, Lacan propôs um termo que encontrou adesão generalizada — inclusive para além dos analistas que pretendiam seguir seu ensino, como testemunha a aparição de uma transposição desse termo ao inglês nos textos analíticos escritos nessa língua. O *psicanalisante* — eis a palavra — é de fato aquele que cumpre a tarefa imposta pela regra fundamental. O psicanalisante é aquele que associa livremente, que aceita submeter-se a uma palavra que extrapola o senso comum.

É suspeito o entusiasmo com que o movimento analítico adota esse termo; primeiro por permitir que os analistas pensem que nada têm a ver com o que acontece àqueles que assim denominam. Se quem trabalha é o analisante, o analista pode adormecer, cabe a ele ter paciência, até que o inconsciente termine por se calar. Situar o fim da análise mediante esse critério de lassidão é pura ingenuidade, se não erro doutrinário: o inconsciente constitui em si mesmo um efeito da transferência e é por ela mantido e reavivado — o que Lacan nomeia com a expressão *sujeito suposto saber.*

Tal instância — iniciadora da transferência e da relação com o saber que nela se estabelece — é o que o termo psicanalisante, paradoxalmente, mascara para aqueles analistas que crêem poder surrupiar, em surdina, tal ou qual termo lacaniano, para serem chiques. A adoção da denominação não controlada de "psicanalisante" denota, com efeito, a rejeição desse sujeito, do sujeito suposto ao inconsciente pela transferência, e ao qual o divã permite tomar a palavra.

Não é possível falar de sujeito em psicanálise rejeitando suas conexões e definições, dadas por Lacan. A pilhagem conceitual é aqui impossível sem que se revele a asneira do defraudador. O sujeito, de fato, não é a pessoa que demanda fazer uma análise, nem o paciente, nem mesmo o psicanalisante que associa. O sujeito em psicanálise é o efeito específico essencial da palavra emitida sob transferência.

Só que o sujeito é indissociável da teoria do significante tal como Lacan a discriminou de seu uso lingüístico. É notável ver como certos autores usam o termo psicanalisante para contrapô-lo àquilo que não os sustenta no conceito mesmo de sujeito.

Inversamente, a teoria do significante e o sujeito que dela se deduz conduziram — de fato — certos alunos de Lacan a exaltar essa vertente da prática psicanalítica. Tais analistas, espirituosos, passaram a rivalizar com o próprio inconsciente — é que não se pode falar melhor do inconsciente, diziam eles, do que disfarçado de psicanalisante. Certo, é assim, mas não para poupar-se com isso da transferência; caso contrário, não se está rivalizando com o inconsciente, mas com os publicitários, os jornalistas ou os humoristas. Por que não? Só que não se trata aí de psicanálise. Nossos cientistas de há pouco podem zombar com justa causa: se a doutrina psicanalítica se reduz a alguns jogos de palavras, por que não preferir ou tornar equivalentes a ela as elucubrações junguianas e até mesmo a comicidade do rosto imperturbável do sexólogo que, pelo menos, aparenta munir-se de instrumentos de medição e estatísticas?

No entanto, foi por um desvio doutrinário que se promoveu um dos últimos avatares terapêuticos parapsicanalíticos. Chama-se isso de terapia familiar. Sucesso! Não forçosamente terapêutico: os resultados não trazem mais júbilo do que em outros lugares. Simplesmente, a lingüística e a sociologia não negam seu apoio, como os colóquios e os créditos públicos testemunham. O ponto de partida é respeitável; a linguagem não é um bom instrumento de comunicação, sobretudo no seio do grupo social familiar. O mal vem dessa imperfeição: neurose, psicose e todo o resto. Revelando os curto-circuitos familiares da comunicação, restabelecendo esta última, não apenas a harmonia é possível — pois cada um consegue encontrar seu lugar adequado — mas pode ainda ser desfeita a patologia resultante dos erros de comunicação. Os especialistas dirão que estou indo rápido demais, mas será que podem negar-se a reconhecer que essa doutrina se baseia na eliminação da transferência que está, no entanto, na origem dos sujeitos que pretendem tratar? Caso contrário, para que seu espelho sem azougue, suas gravações, suas avaliações coletivas? Como se vê, os analistas estão sempre à procura daquilo que poderia aliviá-los do peso do ato que lhes cabe.

Castração e enigma do desejo

É que o sujeito não é tudo para a psicanálise. Primeiro, não é um todo em si mesmo. O ponto de partida de sua definição é ser dividido. Dividido quer dizer, por exemplo, que os erros de comunicação, os mal-entendidos da linguagem, os duplos-vínculos de nossos terapeutas familiares são intra-subjetivos antes de serem intersubjetivos. Estes são apenas conseqüências acessórias para a psicanálise — problema para sociólogos, com efeito, ou de políticos. Sabe-se que estes últimos baseiam-se proveitosamente nos primeiros para serem ouvidos por seus eleitores tal como querem. O sujeito em psicanálise, pelo contrário, não escuta a si mesmo — para o seu bem ou para o seu mal. Nada a esperar por esse lado. O vício de forma tem o nome de castração. Faça o eu o que fizer, não pode negá-la senão proclamando-a cada vez mais alto.

Mas se o sujeito não é completo, tampouco é o todo da pessoa que se deita no divã. Dificuldade suplementar, pois a vertente da pessoa que o sujeito não é permanece silenciosa de bom grado: não é, como tal, efeito do significante, mas, antes, aquilo que ninguém quer. Nem por isso tal vertente passou despercebida para a psicanálise desde a sua origem; a fórmula freudiana do silêncio das pulsões é suficiente para demonstrá-lo, sobretudo quando Freud a reduplica inventando a pulsão fundamental: a pulsão de morte. Não passa despercebida tampouco quando é referida ao fantasma, ou ainda — por que não? — a essa densidade obtusa e limitada que oculta o eu para além das identificações que o adornam. Além disso, fica patente quando o psicanalisante, ao se esforçar para perfurar o enigma de seu desejo mediante a elucidação daquilo que deseja, vê sempre esse enigma tornar-se obscuro, pois a solução que procura está naquilo que o causa e o produz como desejante. Com efeito, a questão não é saber por que o que se abraça é sempre decepcionante, mas por que o homem tem que desejar.

Tal vertente silenciosa da pessoa é aquilo que Lacan batizou como objeto pequeno *a*. Simples nominação que permite esclarecer o uso daquilo que designa: essa dimensão tanto é desdenhada pela palavra quanto se mostra particularmente rebelde à ação desta. Aqui se justifica a pergunta que fizemos de início — pois os analistas podem muito bem dizer-se lacanianos, mas ainda não provaram que sabem utilizar esse objeto para desalojar o sujeito do fantasma onde abriga sua pessoa.

VI — A PALIDEZ DO INCONSCIENTE

A pergunta que fazíamos de início — amanhã, a psicanálise será lacaniana? — era antes de tudo uma provocação. Vendo o simples estado de forças que se nos apresenta, avaliando a venerável instituição que centraliza a quase totalidade da psicanálise internacional, como levar a sério semelhante pergunta? Circunstancialmente, ela nos deu um panorama do estado atual da psicanálise. Mas que ninguém se engane: nosso objetivo não era evidentemente estabelecer um prognóstico ligado à futurologia. Nossa pergunta vai além dos conflitos e concorrências institucionais. Estes existem, mas concernem a disputas exclusivamente profissionais, e não à própria psicanálise.

Pois embora o estado dos psicanalistas — como se diz, por exemplo, o estado dos franceses — continue dividido em suas instituições, é no entanto único por seu campo de aplicação e por seu modo de intervenção, que permanecem como Freud os inventou. Essa divisão, por outro lado, instalara-se desde a origem, desde que Freud começou a ser seguido por alguns alunos. Pode-se mesmo dizer que tal divisão se igualava, desde esse início, ao próprio número de psicanalistas que se dizia discípulo de Freud. Tantas partes — ou partidos — quantos psicanalistas. E isso ainda é assim.

O instrumento do clínico

O problema é estritamente este: para um analista na solidão de seu consultório, que valor tem o que um outro elucubra? Em que isso o ajuda? A relação de cada analista com a comunidade analítica está diretamente ligada à relação que mantém em sua prática com o inconsciente.

E, segundo uma fórmula de Lacan, o inconsciente empalideceu depois da idade de ouro da psicanálise, perdeu suas cores. Por esse fato, os analistas empalidecem frente a ele — de medo, por exemplo, de não saber enfrentá-lo. Daí o apoio que buscam nas instituições que os abrigam. É preciso ainda que a instituição seja capaz de responder a essa expectativa.

Para atinar com isso, pode-se ler a divertida obra de Janet Malcolm recentemente traduzida por Sylviane Rué sob o título de *Un métier impossible*: *psychanalyste,* editada por Clancier-Guenaud. A autora descreve em minúcias os terrores de um psicanalista ainda mais verdadeiro, já que fictício. Seu herói está aterrorizado — é assim que se traduz para ele a impossibilidade de sua prática. O engraçado na história é que esse terror é suscitado pela própria instituição, quer dizer, pelos outros analistas. Como não ver que o inconsciente mesmo provoca tal estado, já que o psicanalista raramente está à altura do ato que dele se espera? Freud com certeza não teria aprovado que se desse tal significação à sua observação de que a psicanálise é uma das três profissões impossíveis. Cabe perguntar se os psicanalistas descritos nessa obra não esperam resolver as dificuldades privadas de cada analista mediante o terror institucional. Afinal, eles não seriam os primeiros a inventarem semelhante estratagema, que pelo menos tem uma apreciável vantagem: a de impedir que o analista pegue no sono.

Mas o avesso dessa vantagem é extremamente lamentável — a teoria se esvazia pouco a pouco de todo o seu conteúdo. Por isso, é implicitamente desprezada.

Como em outros contextos, o famoso debate que contrapõe em psicanálise os "clínicos" aos "teóricos" é um debate perfeitamente inepto. A teoria nada mais é do que o instrumento do clínico. Quando um instrumento fica gasto, joga-se fora. Quando um instrumento é inoperante, busca-se um melhor. Embora a técnica forneça o seu modo de emprego, é impotente para aperfeiçoá-lo.

Dizer que o inconsciente já não se manifesta como o fazia em sua idade de ouro é uma observação clínica. Mas é também uma observação teórica. Com efeito, se o inconsciente não se manifesta de modo semelhante, isto se deve aos psicanalistas que o escutam. Os psicanalistas se revelam surdos a esse fato quando esperam sustentá-los em sua prática. Sua surdez está na origem dos disfarces do inconsciente.

Eis por que o único critério de validade para a teoria psicanalítica é sua transmissibilidade. Afinal, esta é uma evidência que serve para qualquer ciência. O valor da teoria analítica é sua aplicação; esta é a razão pela qual Lacan chamava de "psicanálise aplicada" a prática da psicanálise propriamente dita — e não, por exemplo, sua extensão à literatura e à filosofia.

A transmissão da psicanálise

Ora, a transmissão da psicanálise não é apenas assunto interno — ou mesmo a cozinha — de cada instituição; ela é a questão da psicanálise em seu conjunto, isto é, da comunidade analítica.

Primeiro, por uma razão bem simples. Para que haja psicanalista é necessário que haja psicanalisantes. Mesmo que cada psicanalista possa, particularmente, pôr à prova suas elucubrações, deve ainda salientar que, para isso, faz-lhe falta pelo menos um sujeito que se deite no divã. Esse sujeito não cai do céu. Ele vem porque sabe que a psicanálise existe — isto é, porque há outros psicanalistas. Como observava Lacan: é da oferta do psicanalista que nasce a demanda da análise.

E, eventualmente, é da oferta de um analista "lacaniano" que provirá uma demanda de análise em um analista "ortodoxo". A recíproca é verdadeira, evidentemente, mas só onde ambos coexistem. Em outros lugares a conexão é mais difusa.

Ela no entanto existe, embora discreta em nossos dias. Um fato a denota, duas razões a motivam. O fato, pudemos salientá-lo em uma crônica anterior: aqui e acolá, os textos dos psicanalistas ortodoxos vêem florescer alguns significantes lacanianos. Pouco importa seu emprego, quase sempre atravessado: eles são vivazes, e mesmo refutados, obrigam o autor a renovar suas próprias significações, o que é o essencial. Em matéria de conceitos, o certificado não tem garantia, e menos ainda *royalties*.

A primeira razão deriva da oferta da psicanálise. Se o ensino de Lacan reavivou a leitura que os psicanalistas, faziam da teoria freudiana, foi porque Lacan fez a proeza de ligar a psicanálise à ciência e à cultura. O ensino de Lacan considerou o fato de que tanto o campo da linguagem quanto as ciências que a ele se referiam não eram estáveis, mas evoluíam. O que denota, por exemplo, o fato de que a psicanálise seja cada vez menos considerada um parente pobre da medicina. A partir dos anos sessenta, isso foi uma renovação da oferta que desde então alimenta numerosos divãs "ortodoxos" — pelo menos na França. Mas em outros lugares não será menor o efeito, que consistirá na multiplicação de toda sorte de colóquios acerca do ensino de Lacan — e portanto sobre a psicanálise.

O segundo motivo ainda não foi percebido pela maioria dos psicanalistas. Ele se sustenta em uma frase: o ensino de Lacan renova a caixa de instrumentos do psicanalista e lhe possibilita responder aos avatares do inconsciente, por ele deplorados. Não se trata de uma panacéia da mente — lembremo-nos de que Freud não especificava de modo algum sua descoberta pela dimensão terapêutica. Por isso, inclusive, seria inútil levar o debate a esse terreno, que de bom grado deixamos para os quimioterapeutas do futuro.

Se o ensino de Lacan é útil para o psicanalista, é porque lhe fornece as referências necessárias para movimentar-se no campo em que sua prática o engaja. Por esse motivo, seria surpreendente que a comunidade analítica não se apercebesse disso mais dia menos dia, no entusiasmo ou na denegação, pouco importa.

Nossa pergunta inicial trazia em si mesma, portanto, a resposta: amanhã, a psicanálise será lacaniana, quer o diga ou o negue, pois é a sua única chance de sobreviver.

Conclusão que nada tem de profissão de fé beata, pois o preço a pagar bem poderia ser objeto de uma segunda série de crônicas dentro de alguns anos.

1983-1984

I

Direção da Cura*

* O vocábulo *cure* significa estritamente, em francês, tratamento. Assim o traduzimos ao longo desta obra, reservando "cura" para verter o substantivo *guérison*, quando usado pelo autor. Aqui, entretanto, vemo-nos forçados a manter a expressão "direção da cura", já consagrada entre os analistas brasileiros e usada correntemente tanto para aludir ao texto de Lacan *La diréction de la cure et les principes de son pouvoir* quanto, de modo específico, à direção de um tratamento. (N.T.)

A cura da histérica

A delimitação do tipo clínico de um paciente em particular não pode ser considerada, em nenhum caso, como anterior ao tratamento; dependerá da posição própria de cada analista, ao gerir solitariamente sua prática com o auxílio da experiência adquirida.

Observemos entretanto a solidez da repartição desses tipos clínicos — histeria, obsessão e fobia —, que nenhuma tentativa de contribuição ou remanejamento pôde abalar sequer minimamente.

Estabeleçamos desde já que cada um desses três grandes tipos clínicos agrupa modos específicos de respostas do sujeito, e tais respostas se reconhecem em um e outro sujeito, no interior do mesmo tipo clínico.

A direção final do tratamento não está em causa. O norte de todo tratamento continua sendo o advento do sujeito frente a seu desejo, para além do surgimento do fantasma. Esse ponto de orientação implica a caducidade do tipo clínico.

O que nos ocupa são os meios para chegar a isso. Ora, as respostas do sujeito, isto é, sua neurose, de fato contrapõem a esses meios dificuldades que se esclarecem ao serem postas em relação com o tipo clínico no qual se inclui o paciente.

As respostas que a neurose histérica propõe concernem primeiro à dialética do desejo, isto é, à circulação desse desejo — transmitido pelo significante — entre o sujeito e o Outro.

Aceitemos por enquanto que a figura da histeria é encarnada por aqueles dentre os seres falantes que têm útero. Isso ainda não é, para a teoria psicanalítica, mais do que uma coincidência estatística que no entanto nos permite invocar, sob o nome de histérica, aquela paciente exemplar, protótipo das que, a partir de Anna O. — e como musas do desejo —, sopram aos analistas as palavras de suas interpretações.

A histérica está no lugar certo para inspirar a análise e encontrar o analista, pois a oferta deste — a associação livre — provoca os impasses da dialética do desejo a serem ditos nos sintomas.

Não é sempre com felicidade que os analistas respondem a semelhantes solicitações.

Por isso mesmo, a histérica pode ser levada a travestir sua demanda, diversificando seus sintomas; isso pode acarretar-lhe excessos de sofrimento nos quais a clínica assume disfarces inesperados.

Retomaremos esses avatares que extraviam os analistas a ponto de fazê-los duvidar se estão frente a uma histeria, e tiram do baú um hipotético núcleo psicótico. Mesmo que seu embaraço não se desfaça desse modo, seu conforto fica parcialmente preservado por tal recurso, que nada diagnostica senão sua contratransferência.

Entretanto, antes de chegar a esses obstáculos da cura e às balizas que se lhes pode opor, temos que convir que a neurose histérica se presta obsequiosamente ao procedimento freudiano.

Idílio

A oferta do psicanalista se resume na regra fundamental, que enuncia também a única prescrição técnica à qual o psicanalista se atém.

Isso é suficiente — como Lacan indica — para produzir o sujeito suposto saber, que surge do próprio analisante, estabelecendo assim as bases da transferência.

Nada mais equívoco do que a regra fundamental; porém o que a histérica capta é que sua palavra constitui o sustentáculo da escuta do Outro e a causa daquilo que lhe pode retornar.

Desde então, o idílio pode começar. A palavra da histérica torna-se uma pastoral pela qual o sujeito dedica sua queixa ao Outro, que certamente não confunde, nesse início, com a pessoa do analista.

Pelo contrário: este só cumpre sua função ao calar-se; ou seja, deve com seu silêncio ser o avalista da boa aliança que a histérica estabelece com o Outro.

Tal posicionamento é propício para o bom desdobramento do processo do tratamento e a instalação da transferência.

A interpretação histérica da regra fundamental é certa na medida em que atribui ao analista o estar presente no lugar do Outro e, como tal, em posição de devolver ao sujeito aquilo que ele recalca.

Só que se o analista está nesse lugar, a histérica se dá conta de que ele não se move. É proibido ao analista, responder desde outro ponto que não aquele em que a repetição dá à transferência um jeito de falso reconhecimento.

Compreende-se aqui a confusão entre transferência e repetição, sustentada pelos analistas até que Lacan as dissocia: tal confusão é uma teoria histérica.

Para a histérica, o analista não deve dizer senão aquilo que a repetição deixa subentendido. Basta que este complete a frase para que a repartição de papéis no jogo do desejo produza seu efeito apaziguador.

Se a insatisfação está na base do desejo, posto que necessária para que este se mantenha, a histérica faz dessa insatisfação uma condição absoluta — com o corolário, porém, de que o Outro suporte a carga.

A histérica se empenha em impor ao Outro que deseje sempre mais. Isso convém ao analista, do qual se supõe que apenas espera o significante seguinte.

Acordo perfeito, poder-se-ia dizer, já que se baseia nas variações infinitas da metonímia significante.

A histérica promove sua divisão de ser em sofrimento ao oferecer ao Outro os significantes que determinam seu desejo. Com esse sacrifício, considera-se quite com a castração que tais significantes mestres do desejo supõem.

Vemos aqui como a histérica instaura um laço social: quem recusaria esse lugar do outro onde o desejo é proposto "com a chave nas mãos", mesmo se às vezes um fiasco vem recordar a impostura?

O analista, no entanto, pode resistir e — por escrúpulo profissional — denunciar esse saber que a histérica esquece.

Mas é geralmente para escutar dela a resposta de que, de tal saber, ele não lhe diz senão o semblante — ou seja, ela já o sabia. Para que serve, com efeito, dizer a uma pessoa queixosa que a causa de sua queixa está naquilo de que sofre?

Posto que a histérica sustenta seu desejo pela exaltação do defeito fálico (— φ), por que deveriam surpreender-nos os obstáculos que a interpretação baseada apenas na significação do falo encontra?

Semelhante interpretação pode ser estritamente chamada de tautológica na medida em que é construída como uma formação do inconsciente, desde que revela apenas aquilo que o significante mestre induz, e deixa na sombra o que sustenta o sujeito para além de sua divisão — o objeto de seu fantasma.

Salientemos que semelhante interpretação é no entanto coerente com o lugar que a repetição propõe ao analista, que mencionamos acima.

Por isso, pode surgir um efeito de apaziguamento na medida em que este apela para a sugestão. O discurso do mestre pode, em determinadas circunstâncias, encaixar-se com o discurso histérico. A histérica aceita retirar sua queixa caso julgue que a manutenção da transferência custa este preço. O analista faz com que a histérica se restabeleça sob a condição de que a relação se prolongue tanto quanto a metonímia o consinta, isto é, indefinidamente.

Equívoco

É no entanto a partir da transferência que a direção do tratamento da histérica encontra um obstáculo que exige do analista ser diferente de uma dublagem silenciosa da repetição significante, posto que se trata, para ele, de estar presente.

Quando Freud é obrigado a reconhecer que a transferência comporta uma vertente de resistência, descobre que, para além da repetição que empresta ao analista traços da imago infantil, existe uma presença do analista.

Pois se a transferência não pode reduzir-se totalmente, dissolver-se nas coordenadas do retorno do significante, é preciso que o analista, nessa transferência, seja também real.

Essa presença do analista como real é a questão subjacente ao conjunto de textos freudianos reunidos sob o título de técnica psicanalítica.

E Freud descobre que é para construir uma barreira a esse real do analista que a histérica produz o amor na transferência.

Deve-se reler esse admirável texto sobre o amor de transferência, onde Freud põe em cena o surpreendente duo da histérica que ama e o analista que deseja.

Não é possível, com efeito, que Freud ignore que o amor se satisfaz perfeitamente com a suspensão do coito. A poesia é feita a partir dessa evitação. Por duas razões Freud dá ao amor de transferência essa meta tão particular que é o ato sexual.

Primeiro, porque se trata de revelar a significação desse amor, que é sexual — quer dizer, fálica —, e porque essa significação só pode ser formulada, exclusivamente, desde o lugar do analista. Cabe a este manter o rumo do desejo, quaisquer que sejam as manobras do sujeito para desviá-lo.

Mas, sobretudo, se o amor de transferência embaraça Freud, é por não ser, como tal, interpretável. Pelo menos na concepção que ele tinha então da interpretação. O amor de transferência não é interpretável em termos de formação do inconsciente.

O equívoco do amor de transferência não reside no fato de que o analista seria tomado por outra pessoa, mas, pelo contrário, no de que ele é amado pelo que é, para além do que o sujeito repete. Daí a reflexão freudiana sobre o *agieren.*

Pois o amor está para a transferência assim como a repetição para o sujeito suposto saber: um obstáculo, ao mesmo tempo que um revelador.

Freud se embaraça a tal ponto com sua descoberta que não sabe o que responder a Ferenczi quando este propõe, em 1924, atualizar a técnica da psicanálise introduzindo no manejo da transferência o *agieren* freudiano. Ele chamou isso, como sabemos, de "técnica ativa".

Intuição notável de Ferenczi: descobre que, embora o analista seja o Outro do sujeito, não é um puro reflexo dele e não está gratuitamente nessa dialética.

Intuição de curto alcance, no entanto, pois confunde a onipotência do Outro materno — com a qual se apressa a revestir o analista — com o absoluto da causa do desejo, o objeto *a.*

Ferenczi aqui se põe de acordo com o neurótico para eclipsar o Outro do desejo por trás do Outro da demanda.

Confusão que convém particularmente à histérica apaixonada posto que, se o ama, é para desviar o Outro de seu desejo. A histérica anseia que o Outro deseje, porém com a condição de que seja ela que o conduza e inspire.

A direção da cura da histérica deve nesse ponto fazer uma virada que corresponde ao deslocamento operado por Lacan na posição que atribui ao analista.

Estar no lugar do Outro impede, de fato, qualquer saída para o amor de transferência: sobra o impasse, a fuga do sujeito ou a passagem ao ato.

Ora, é somente invertendo o jogo que o analista pode reenviar a histérica àquilo que a faz desejante, para que abandone o objeto que se obriga a amar.

Com efeito, o analista pode desalojar o sujeito histérico do lugar de onde suscita no Outro os significantes de seu desejo, com a condição de ser ele próprio quem cause tal desejo.

O objeto que a histérica visa em seu impulso amoroso é apontado fora da transferência, não no passado, mas na atualidade.

Sabemos que Freud, ao revelar prematuramente essa diferença, faz Dora fugir batendo-lhe a porta no nariz. É que Dora rechaça a angústia e prefere conservar o sintoma antes que dizer seu fantasma: no fantasma, aquilo que para ela é A Mulher ocupa o lugar de objeto.

A angústia é o preço que a histérica deve pagar para ter acesso à seguinte verdade: se o Outro deseja, tal desejo constitui para o sujeito um radical enigma.

Dora se detém entre o sintoma e o fantasma, entre uma significação fálica que ela rejeita e o surgimento do objeto de gozo que a angustia. Semelhante giro pode ser, para a histérica, a oportunidade de sair da cena. O que não é necessariamente um fracasso.

Separação

A causa do desejo pode ser conhecida pelo sujeito por meio da aparelhagem fálica. Compromisso habitual, que torna o gozo compatível com as condições próximas às identificações edípicas e com o bom uso da metáfora paterna.

Sabemos que, para a histérica, essas identificações e essa metáfora nada têm de óbvias posto que, ao escolher identificações que contrariam sua sexualidade anatômica — identificação ao homem —, é obrigada a conservar o pai como objeto de amor e se recusa a passá-lo pelo moedor do significante. Daí seu gosto pela derrisão do semblante, que só assegura sua eficácia com o sucesso da metáfora paterna.

Martelado da maneira certa pelo analista, entretanto, o significante do Nome-do-Pai pode propor a felicidade à histérica se ela enfim mostrar-se condescendente com essa saída fálica. Para isto, é suficiente que um outro satisfaça a castração e lhe dedique seu desejo. A vida conjugal, ou o reconhecimento de sua adequação — caso anteceda à cura — vem bem a propósito para separar o sujeito de seu analista. Fim terapêutico, diríamos, sem temor de aí encontrar ecos de uma tradição que desde sempre propõe para a histérica sofredora uma farmacopéia fálica. É que se pode muito bem conhecer o remédio sem que por isso consiga-se fazer com que seja engolido. O analista que o faz não tem que enrubescer por seu ato, mesmo se a histeria, na ocasião, permanecer intacta.

Pois a análise, ao contrário, pode tornar impossível essa solução, reforçando o ceticismo do sujeito quanto à primazia do falo em seu efeito de significação. A castração não é repelida tanto por causa da angústia que implica, mas em função do semblante que impõe suportar.

Tal obstáculo leva a histérica a exaltar aquilo que a experiência analítica comporta de alienação, para promover como regra de vida a não ingenuidade diante do semblante fálico. Situação que às vezes dá, nesse meandro do tratamento, a impressão de ter voltado ao ponto de partida.

Com a pequena diferença de que o sofrimento não depende mais de um desejo carente de um Outro conciliatório, onde o próprio desejo do sujeito ocupa o lugar de objeto apropriado para causar o desejo do Outro; o sofrimento tem origem aqui num gozo que se nega à finitude fálica e obriga o sujeito a buscar no Outro os signos de que o significante não é tudo.

Busca exaustiva, para a qual a anatomia predispõe melhor a mulher do que o homem e justifica que se possa falar de histérica, no feminino.

Assim se revela para a histérica a mola essencial do desejo: aquilo que ela entendia como sua causa e razão, o falo, não é mais do que um disfarce cuja exuberância torna-se burlesca ao mesmo tempo em que sua significação bate contra o *non-sens* que a produz.

A verdadeira causa está longe — e isto é aceito pela histérica, que entretanto o aceita para, encarnando-a, consagrar esta causa ao gozo do Outro.

O impasse que a histérica encontra na dialética do desejo prende-a à *afânise,* desvanecimento subjetivo pelo qual recupera seu gozo. O desejo parece afastar-se, como o mar se retira, para deixá-la largada — pobre coisa traída pelo Outro, que deseja sem ela.

Estado de rejeição e abandono que os psiquiatras não hesitam em denominar, com suas asneiras de costume, melancolia, embora seja apenas resultado do efeito do desejo quando este se revela, *in fine,* desejo de morte.

Reação terapêutica negativa, dizia Freud, ou ainda masoquismo primordial. Não é em absoluto necessária uma análise, contudo, para que tal quadro se realize; seria longa a lista de figuras cotidianas dessas mulheres, cujo destino é a infelicidade.

Figuras inversas à evocação habitual da "bela histérica", sustentáculo da glória fálica, mas que dizem, não obstante, a sua verdade.

A verdade que esse impasse denuncia é que, ao recusar a castração como normativizante do desejo, a histérica não tem outra escolha senão realizar-se no objeto de seu fantasma para se consagrar ao gozo do Outro.

Neste ponto o analista é intimado a estar presente, pois a passagem ao ato que está por acontecer tem uma dimensão diversa à do ato sexual evocado acima, que só visava, afinal, denunciar a derrisão do priapismo masculino.

No mundo da histérica, assim devastado pelo desejo de morte, o analista é agora obrigado a relançar o tratamento. Relançamento que encontra sua mola-mestra na introdução, no ponto mesmo em que a demanda desaparece, do desejo do analista.

Essa substituição baseia-se mais no que convém chamar de manobra da transferência do que numa interpretação, pois o analista deve fazer semblante de seu real assim desnudado, e não dos significantes cuja repetição o revestia até então.

Prótese do desejo, adiantaremos, para propor que é antes oferecendo-se como objeto de seu fantasma e causa de seu desejo que o analista pode tirar o sujeito da armadilha em que seu gozo paradoxal o encerra.

Tal emboscada é a do fantasma, última defesa contra o desejo, que cobre com significações revigorantes. É por isto que esse momento do tratamento, momento em que se vislumbra seu fim, revela o vigamento da estrutura da histeria e abala suas fundações. Nova escolha para o sujeito.

Ou bem decide prosseguir na busca que seu fantasma lhe propõe — consolidado pelo esmaecimento terapêutico do sintoma — sem a sustentação do analista que, *in absentia,* pode continuar a encarnar o Outro que deseja em vão. Vaidade proclamada do desejo, que demonstra que a estrutura continua intacta, mas doravante fora da análise.

Ou bem o sujeito aceita examinar prós e contras do fantasma e do desejo, aqui dissociáveis. Duas configurações extraídas do que foi dito acima podem ilustrar essa eventualidade subjetiva. Pode aceitar a contingência de um parceiro não mais limitado à impotência de encarnar o (— φ). Ou pode admitir que o Outro se mantenha desejante, sem por isso impor ao sujeito a vocação da Causa perdida.

Desde então, separado de um fantasma que não tem outra significação a não ser aquela, conjetural e logo obsoleta, de uma história familiar, o sujeito pode encontrar em seu desejo a razão de seus atos, para o que lhe resta de existência.

1984

A transferência

Tornou-se comum, entre psicanalistas que se prezam, dizer que a prática de cada um deles depende estritamente de suas posições doutrinárias. Tal proposição, em vias de se transformar em lugar comum, deve ser recebida com reservas.

O que se entende, com efeito, por "posições doutrinárias" — formulado geralmente com a vaga locução: "relação com a teoria"?

Seria o alinhamento, reconhecido pelo analista, a uma corrente teórica? Sabe-se que essa repartição conhece um critério único: a aceitação ou rejeição das posições lacanianas.

Ora, no lado em que essa rejeição é obrigatória, salvo por essa restrição, o compromisso é a regra. Basta reportar-nos a alguns informes de *painéis* para ler as posições mais diversas, nas quais contudo a vivacidade das controvérsias não se compara à pressa de todos em encontrar a tese que será unânime (*cf.* 24; 36; ou 38 *).

Levar mais longe o desacordo evidenciaria intenções ideológicas que poriam em perigo a serenidade que se espera de um debate entre analistas. Que cada um sustente teses eventualmente contraditórias não parece ser objeção a que todos tenham razão.

É então em outro lugar que o analista funda sua posição doutrinária: na calma e no isolamento da poltrona onde lustra sua teoria

* Uma *bibliografia* geral sobre a transferência encontra-se *infra* — a numeração remete aos títulos citados neste capítulo.

pessoal, elaborando com minúcias o edifício que lhe permitirá sustentar sua particularidade ante a comunidade que o abriga.

De fato, não é preferível isto à procura inquieta de uma conformidade que evitaria as surpresas e os erros? Tal meta nunca é excluída das meditações do analista didata. No entanto, nenhum instituto ou grupo de analistas renunciou, atualmente, a definir o analista-tipo ao qual todos deveriam se ajustar. De modo que prefere-se ainda encorajar a originalidade de cada um, com a condição de que esta se mantenha nos limites do bom senso — ao qual se vê geralmente reduzida a consistência da teoria freudiana. Para ter a medida desse bom-senso, podemos deleitar-nos com a leitura da obra coletiva *l'Identité du psychanalyste* (21).

De um lado, portanto, um mínimo de teses freudianas, necessário ao encontro entre o analisante e o seu analista. De outro, alguns acréscimos que todo analista brilhante pode propor à comunidade, que os põe lado a lado com as primeiras sem preocupar-se com a coerência do novo conjunto. Um hiato aqui se manifesta, e mais agudamente quando os problemas abordados se referem a fatos clínicos, como no caso da transferência.

Ninguém hesitará, evidentemente, em situar a transferência entre as teses *minima* sem as quais nenhuma cura psicanalítica poderia fundar-se. Simultaneamente, contudo, há poucos conceitos analíticos que tenham acolhido tantos pontos de vista tão sutilmente diversificados.

No entanto, esses pontos de vista devem ser anotados com cuidado, pois testemunham os obstáculos que a condução da cura opõe a quem se oferece em posição de analista.

Uma coisa foi definitivamente aceita: nenhuma psicanálise escapa à transferência. Pensem, com efeito, que a invenção da contratransferência fracassou ao permitir que o psicanalista se separasse da transferência, enquanto esse achado quase teórico era o encarregado de oferecer ao analista tal proteção.

Resta ainda salientar que se observa o mesmo fracasso diante da obstinação — já mais próxima à teoria freudiana — em interpretar a transferência. O fracasso consiste em não produzir sua atenuação, mas às vezes, pelo contrário, seu reforçamento; é o que testemunha com surpresa, por exemplo, M.F. Basch (4). Mas voltaremos detalhadamente à chamada interpretação da transferência.

Formularemos apenas o que foi nosso eixo central para este trabalho: a distinção, introduzida por Lacan em seu *Seminário XI,* pela qual *a transferência não é a repetição*. Essa distinção está longe de ser admitida, pois a confusão entre os dois conceitos é ainda maciça nos trabalhos mais recentes. Por isto, oferece uma chave de leitura que permite organizar a literatura analítica que trata da transferência.

I — O PROCEDIMENTO FREUDIANO

> *Vem escutar nossas vozes! Jamais uma nave negra dobrou nosso cabo sem ouvir as doces árias que saem de nossos lábios; depois disso, vai-se embora contente e mais rica em saber, pois sabemos de todos os males que os deuses infligiram às pessoas.*
>
> Homero, *Odisséia* (canto XII, v. 185–190)

A psicanálise absorve o golpe, notavelmente. Quase um século após sua invenção, continua a inspirar respeito entre as multidões, embora com o ainda necessário aval da instituição médica; prossegue obtendo resultados terapêuticos incontestáveis, apesar de mensuráveis apenas segundo seu ponto de vista; persevera, enfim, suscitando vocações, se bem que o acesso à profissão continue protegido pelo silêncio dos que nela estão instalados.

Poder-se-ia ficar surpreso com essa perenidade e esse sucesso. É que se subestima a solidez do procedimento regulado por Freud, comum ao conjunto dos analistas, que fez Lacan afirmar (*Scilicet*, I, p. 52) que esse conjunto é freudiano, isto é, "originalmente solidário ao modo de intervenção freudiano".

Não é a transferência, porém, que funda essa solidez. É o convite feito ao sujeito a um livre exercício da palavra, ou seja, à regra fundamental que abre esse sujeito à livre associação.

Freud chegou rapidamente a essa regra inspirado por seus pacientes — especialmente histéricas —, que preferiam ser escutados a que se lhes falasse.

O Outro, como endereço do destinatário a quem o sujeito fala, é posto assim desde o começo da psicanálise. Para que o tratamento se instaure basta que o analista se mantenha nesse lugar e acuse a recepção do que ouve.

É assim que desde logo irão manifestar-se dois efeitos essenciais da regra fundamental.

O primeiro efeito — salientado há muito pelos analistas e rapidamente experimentado por todo analisante — é a constatação da extrema coerção da palavra, ironia da regra fundamental. Não apenas o sujeito não diz o que quer, mas aquilo que diz, diz outra coisa que não o que pensava dizer. Surpresa dupla, que motiva em Freud a hipótese do inconsciente. Alguma coisa quer dizer-se através da palavra do sujeito, e clama por uma leitura.

Ora, quando redige a *Traumdeutung,* é nesse contexto que Freud faz a sua definição da transferência: "A representação inconsciente não pode, enquanto tal, penetrar no pré-consciente, a menos que se alie a alguma representação sem importância que já se encontrava aí, à qual transfere sua intensidade, e que lhe serve de cobertura — eis o fenômeno da transferência" (*A interpretação dos sonhos,* p. 478-479*).

Assim, a transferência é primeiro transferência de significantes, de "representação". Mas como o inconsciente insiste em ser escutado, repete e se repete. Repetição de um termo, até mesmo de um fonema no conteúdo manifesto de um sonho (por exemplo, n'*A interpretação...*, os seis sonhos — p. 257 *sq.*), mas também repetição de uma significação imposta por termos diferentes (por exemplo, o sonho da monografia botânica — p. 153 *sq.*), onde é pela troca de sua significação que o significante "botânica" se acha repetido).

Para a leitura dos sonhos, transferência e repetição são aparentemente complementares, sendo a primeira suporte da segunda, como são transpostos de uma coluna a outra os mesmos números de uma contabilidade. A transferência é então um meio de acesso ao material inconsciente. Deve-se notar que o analista não pode ser aqui outra coisa senão um copista do texto inconsciente transmitido pela palavra do sujeito. Como todo copista, pode ser seu leitor — mas o papel de intérprete deve ser o mais discreto possível.

---

* A numeração das páginas se refere, tanto aqui como nas referências bibliográficas que se seguem, à edição francesa. (N.T.)

Esta localização da posição do analista pode surpreender. Seu papel será tão reduzido que basta que escute para que a cura encontre seu caminho?

Tocamos aqui no que entendíamos como solidez do procedimento freudiano. Como explicar, com efeito, a boa saúde da psicanálise e a relativa uniformidade dos resultados que obtém, na medida em que se os pode julgar pela literatura, já que essa literatura exibe uma impressionante diversidade de concepções quanto à técnica que se deveria exercer? Reportem-se à recente obra de Merton Gill, *Analysis of Transference*. Temos que constatar seu fracasso em organizar a diversidade do inventário que empreende. Seu percurso pela literatura, notavelmente completo como é hábito entre os autores anglo-saxônicos, finalmente o conduz, sem maiores justificações, a não poder fazer outra coisa senão acrescentar sua própria concepção.

Como explicar o contraste entre a unicidade de fato do procedimento freudiano e a multiplicidade das concepções dos analistas? É preciso postular que o tratamento tem lugar sem que tais concepções intervenham, é preciso postular que um certo "automatismo curativo" se põe em ação a partir do simples enunciado da regra fundamental.

Convém portanto que os analistas se oponham o menos possível a este automatismo: quanto menos se intrometam, mais lhes será possível não ter a teoria exata — a deles, por exemplo.

Eis aí o segundo efeito da regra fundamental: deixar que se diga aquilo que surge é terapêutico para quem fala. O homem certamente não esperou a psicanálise para descobrir e usar esse efeito; o procedimento freudiano simplesmente depura seu funcionamento e racionaliza seu emprego.

Há para isso uma razão de estrutura. O significante, por pouco que seja posto no lugar que lhe convém, tira do sujeito um certo peso. Digamos abruptamente o que explicitaremos em seguida: o que Lacan chama de significante mestre, desde que um dispositivo social faz dele agente de um discurso, alivia o sujeito que aceita tal dispositivo do peso de gozo que sua existência lhe impõe.

O significante tem uma virtude curativa porque pode representar um sujeito — e apenas ante outro significante. Ao oferecer-se a tal representatividade, o ser falante pode imaginar-se identificado a essa única função significante: basta seguir a metonímia...

São numerosas as situações nas quais alguns significantes eleitos oferecem assim seu abrigo aos humanos. A psicologia das massas encontra aí as razões de seu sucesso.

Só que a relação analítica se discrimina dessas situações, pois os significantes que nela se repetem devem sua promoção aos eventos da história do sujeito.

E é por isto mesmo que a repetição merece a importância que a prática da cura lhe dá. É o primeiro guia a permitir a triagem dos significantes e a escolha das particularidades inconscientes do sujeito.

Quando revela, por suas transformações, que o sintoma conserva a mesma estrutura significante, quando sublinha o que é reiterado pela tartamudez das condutas e comportamentos, quando organiza em séries as escolhas de objeto delimitando o traço significante que se reencontra em cada um deles, em cada ocasião, a repetição continua sendo a marca indispensável do retorno do recalcado, abrindo-o à significação.

É por isso que, aos olhos de Freud, a transferência se introduz na psicanálise sob a cobertura da repetição. Será preciso lembrar sua surpresa diante das "ligações falaciosas" (*Verknüpfung*) (*Estudos sobre a histeria,* p. 245), das quais é o suporte necessário? Parece simples denunciar desde logo sua ilusão. A transferência permite o deslocamento das representações inconscientes à pessoa do analista, facilitando a repetição. Só falta interpretar essa transferência para que a repetição dê lugar à rememoração.

Assim, a posição de Freud é clara em 1905: "A transferência, destinada a ser o maior obstáculo à psicanálise, torna-se seu mais poderoso auxiliar se conseguirmos adivinhá-la a cada vez, e traduzir seu sentido ao enfermo" (*Dora,* p. 88).

A dificuldade levantada pela transferência já está presente, embora Freud considere, apesar de tudo, que sua solução é acessível e depende sobretudo da maior ou menor "adivinhação" do analista. Apenas dez anos mais tarde — como indica na nota que acompanha essa citação — Freud chegará à idéia de que a interpretação não reduz necessariamente o obstáculo constituído pela transferência.

O *Fragmento de análise de uma histeria* ilustra perfeitamente esta primeira concepção da transferência, enlaçada à repetição. Na primeira redação do caso Dora, Freud se acusa sobretudo de não ter-se preocupado pela transferência que Dora faz do sr. K. a ele. Em particular, de não haver interrogado Dora sobre o que se prestava nele a tal transferência. A interpretação que lamenta não ter feito consistiria essencialmente em desnudar esse enlaçamento para suprimir sua ilusão. Sabemos que reconhece, em 1923 (nota da p. 90), que o essencial não estava aí. De que se trataria?

Da saída de Dora da análise Freud deduz, em 1905, que assim ela se vingava da afronta que o sr. K. a seu ver lhe fizera (p. 89). Se a tivesse convencido de que os homens não são todos iguais — quer dizer, que ele, Freud, não é como o sr. K. —, ela teria ficado para oferecer-lhe um novo material.

Poder-se-ia dizer que Freud, como formula Lacan (*Scilicet*, I, p. 22), "se obceca" com o que lhe concerne no que Dora diz. E interroga a visada de seu desejo: que homem ela quer?

Em 1923, Freud atribui seu erro ao desconhecimento do papel da sra. K. Nessa nota da página 90, não mais se trata de uma questão de transferência, mas da dialética do desejo da histérica. O que interessava a Dora não era um homem à altura, mas que um homem — qualquer um — desejasse por sua causa. Como fazer um homem desejar? Quem o sabia era a sra. K. E foi nisso mesmo que ela, segundo Freud, iniciou Dora, transmitindo-lhe seus "conhecimentos sexuais".

Pode-se mesmo perguntar se não é a própria Dora quem sugere a Freud que o saber lhe interessa mais que o amor. Não lhe oferece esta isca quando esconde precipitadamente, à entrada de Freud no aposento, uma carta que no entanto se revelará anódina (p. 57; *cf. G.W.*, V, p. 241)? Por que Freud recusaria a cumplicidade que ela lhe propõe — a de compartilhar um segredo que é, de fato, segredo de *nada*? Seria porque Freud se nega a sustentar um semblante (*Vorspielen*)? Ele reconhece, algumas páginas adiante, que hesita em recorrer as tais artifícios (p. 82; — *cf. G.W.*, V, p. 272).

Em função disso, é obrigado a arrancar (*entreissen*) de Dora uma confissão, e se vê levado — na transferência — à série das identificações masculinas. Ao insistir sobre o amor no vínculo de Dora com esses homens, Freud certamente tenta vencer uma regressão (pois, como enuncia em *O eu e o isso,* a identificação é uma regressão do amor); fracassa porém nessa tentativa, o tempo do "salto do leão" já passou, e Dora ri na cara dele.

Em 1923, Freud não tenta mais explicar seu fracasso como um erro decorrente da transferência. (Tentaremos mostrar na segunda parte as razões dessa desaparição). Observemos simplesmente que, em 1905, a transferência, por estar submetida à repetição, implicava o próprio analista como incluído na repetição. Ele só intervém na medida em que é suporte da repetição; de resto, deve se apagar.

Por *não ser* o que o analisante imagina é que o analista pode interpretar o lugar que ocupa para o sujeito e desvendar-lhe assim as determinações inconscientes deste "falso reconhecimento". O analista só interpretaria, portanto, na medida em que tivesse que se liberar dessa inclusão que a transferência opera.

Assim, a questão do "ser do analista" se introduz nessa concepção — embora, de alguma maneira, o faça por subtração, e sobretudo, como indica Lacan (referindo-se a Ferenczi) (*Écrits,* p. 612), a análise da contratransferência isola este ser com uma rigorosa assepsia.

O "conjunto" da psicanálise permanece fiel a essa posição freudiana de 1905, segundo a qual a transferência é o lugar de uma interpretação cuja chave é fornecida pela repetição.

Assim, quando um analista californiano, Nathan Leites, retoma a questão da interpretação (25), observa que a tese geral supõe como condição necessária para o "efeito terapêutico" o fato de serem "revividas na transferência" as relações infantis (p. 279). A repetição é o motor do tratamento (*cf.* 7 e 9, onde se encontrará a mesma posição; — e II, onde a neurose de transferência é posta como retomada e repetição da neurose infantil).

Não se poderia contestar a legitimidade dessa posição. A repetição é a mola-mestra do simbólico e da lógica do significante. Recordemos que esta tese constitui um dos eixos do texto de Lacan "Seminário sobre *A carta roubada*" (*Écrits,* p. II). Portanto, reconhecer à repetição tal dominância no processo do tratamento equivale a submeter esse processo ao registro simbólico.

O mais surpreendente desta constatação é que implica uma involuntária adesão à tese lacaniana essencial por parte de analistas cuja preocupação é diferenciar-se delas. Não se trata de apagar as diferenças para promover um ecumenismo deslocado. Trata-se, pelo contrário, de decidir as verdadeiras linhas de demarcação. E, inversamente às idéias atualmente aceitas, a referência à lógica do significante não nos parece estabelecer a clivagem. O procedimento freudiano implica que ela esteja em ação onde quer que os analistas conduzam tratamentos, mesmo que precariamente. Retomando a observação de Lacan (*Télévision,* p. 17): "Uma prática não precisa ser esclarecida para poder operar."

Conceber a transferência como determinada pela repetição implica que se atribua ao registro simbólico o papel de motor da dinâmica do tratamento, e que por isso se permita o exercício do efeito curativo do significante.

É claro, o analista dispõe de todo o tempo que quiser para opor-se a esse automatismo engendrado pela repetição — e se puser aí uma pitada de sua imaginação ou os escrúpulos de sua ideologia, poderá rapidamente contrariar o processo engendrado pela regra fundamental. Nisto se justifica a observação de Lacan: "Não há outra resistência à análise senão a do próprio analista" (*Écrits,* p. 525).

A resistência do analista, na medida em que este se opõe à ação do simbólico, constitui o fundo da polêmica travada por Lacan na primeira década de seu ensino.

Embora a regra fundamental seja suficiente, nos fatos, para dar ao simbólico as rédeas da direção da cura; embora seja "apenas do lugar de Outro que o analista pode receber a investidura da transferência" (*Écrits,* p. 454), ainda é preciso que o analista use com discernimento tal investidura.

Efetivamente, não aceitar sua investidura a não ser quando vinda do Outro, isto é, do simbólico, permite que o analista evite o enfrentamento especular e produz no analisante uma considerável deflação de suas armadilhas especulares. Inversamente, porém, semelhante apoio, se não for "esclarecido" por uma formalização suficiente, oferece uma autoridade ao analista que pode, ao contrário, dar um peso considerável aos efeitos imaginários. Isto poderá inclusive permitir que o analista chafurde em delícias, às vezes com sucesso, nos pântanos da relação dual.

No entanto, não é isto o essencial. Pois onde o analista pensar que está interpretando as identificações — simplesmente por sua vertente imaginária —, a eficácia de suas palavras será movida pelo princípio simbólico dessas mesmas identificações.

Expliquemo-nos. Pela via da transferência, a repetição pode perfeitamente pespegar no analista algumas "insígnias" (*Écrits,* p. 679) do sujeito. O analista é convidado a denunciar essas "falsas ligações", no que chamam de: interpretar a transferência.

Mas o efeito destas interpretações, quando existe, não passa de conseqüência da colocação de tais insígnias em posição privilegiada no discurso.

Que a "falsa ligação" seja denunciada e o analista se veja aliviado deste atributo, é um primeiro efeito, embora secundário: o analisante *sabe muito bem* que seu analista lhe recorda seu pai ou sua mãe... Em contrapartida, o significante, assim separado do analista, verá seu peso simbólico reforçado na mesma medida. E o efeito desse surgimento fora do imaginário poderá ser, ao contrário, o de depurar e afirmar, sem rompê-la, a submissão do sujeito ao significante.

A identificação ao analista é assim evitada, mas à custa da consolidação de uma sujeição do analisante aos significantes maiores de sua história. É o que Lacan chama de: significante mestre.

Não façamos mau juízo de tais efeitos, pois podem ser apaziguadores para o neurótico na medida em que essas insígnias, constitutivas do ideal do eu, são alguns dos ordenamentos da rede significante. Assim, o privilégio dado ao simbólico comporta um risco: manter a análise no dispositivo do discurso do Mestre.

Poderá objetar-se que não é o dispositivo do discurso analítico, e que nenhum analista digno desse nome se reconhecerá em tal constatação. Aceitemos essa objeção. No entanto, derrubar o discurso do Mestre para recolocar sobre os próprios pés o discurso do Analista não se faz apenas deitando alguém no divã e convidando-o a obedecer à regra fundamental. Isto apenas desencadeia a repetição significante e seus efeitos.

O discurso do Analista pode advir porque tais efeitos não são unívocos. Mas não considerá-los senão pela vertente do significante, reduzindo a transferência à repetição, faz da prática da psicanálise uma prática da sugestão.

Certamente "a transferência é também uma sugestão", embora "só seja exercida a partir da demanda de amor" (*Écrits,* p. 635). É o que iremos abordar agora.

II — O TERRENO DA TRANSFERÊNCIA

Mas por que manténs teus pômulos encerrados?
Eu te mostrei meu coração, mostra-me ao menos teu seio.

Agrippa d'Aubigné

É no terreno da transferência que se atinge a vitória. Freud conclui seu artigo de 1912 com esta taxativa afirmação. "A dinâmica da transferência" foi reunida com outros textos em sua tradução francesa, sob o título *La technique psychanalytique.* Esta série de textos tenta responder às dificuldades que Freud e seus discípulos descobrem, nessa época, em sua prática. E para Freud tais dificuldades estão centradas na transferência.

Quando surge para Freud como um redobramento da repetição, a transferência constitui o motor da análise porquanto ajuda o seu desenvolvimento ao provocar o aparecimento de material a ser interpretado.

De fato, a transferência, seus "fenômenos" — como Freud os designa de bom grado (*die Übertragungsphänomene*) (*G.W.*, VIII, p. 374, p. ex.) —, recobre então o conjunto do material a ser interpretado; e a expressão "interpretar a transferência" é óbvia. Notemos que este ponto tem particular atualidade, pois é objeto de um debate no grupo dos psicanalistas americanos, debate ao qual voltaremos na terceira parte.

Mas se Freud, entre 1912 e 1918, retoma as questões técnicas — portanto, a partir da transferência —, é porque esta última revela sua outra face e aparece como um freio à análise, seu lugar de resistência. Por isto é o terreno onde a vitória deve ser conquistada.

Então, a transferência é ao mesmo tempo "o mais eficaz dos fatores do sucesso" e "o mais poderoso agente da resistência" ("Dinâmica...", p. 53). Contradição inerente à transferência, que permanecerá presente na obra de Freud até seu término, já que a discussão é retomada no texto *Análise terminável e interminável,* de 1937.

Ora, com quê a transferência sustenta a resistência? Com o amor que provoca.

Decerto que este sentimento amoroso — cuja inversão em ódio, quando ocorre, não faz senão acentuar a verdade analítica — também pode ser deduzido e compreendido como derivado da repetição. É esta inclusive a explicação que surge naturalmente na pena de Freud. O sentimento que aparece sob a insígnia da transferência pode ser apenas uma reatualização, reencontro de antigos amores infantis do sujeito. Mas, sendo assim, por que não cederia à interpretação? Pois Freud constata o seguinte: se a interpretação pode desvendar a repetição nos atributos dados ao objeto de amor — os traços significantes —, sempre há um resto que é renitente à interpretação.

Freud pode perfeitamente, não sem ironia, reduzir essa renitência à "lógica da sopa e aos argumentos das almôndegas" ("Observações sobre o amor de transferência", in *La technique*..., p. 125), mas nem por isso a dificuldade é superada. Que osso duro será esse que torna a transferência rebelde a reconhecer suas "origens inconscientes" (p. 124)?

O conjunto de textos contidos em *La technique psychanalytique* tenta responder a esta pergunta para separar aquilo que, da transferência, não deriva da pura repetição e se manifesta eventualmente no fenômeno do amor de transferência.

Uma das observações relativas à transferência mais citada pelos analistas é aquela que finaliza "A dinâmica da transferência": "Nada pode ser destruído *in absentia* ou *in effigie*." Em geral as pessoas evitam arriscar um comentário sobre isto (41). Sua configuração oracular sempre provoca um bom efeito e convida a um consenso que dispensa qualquer explicação. Ora, essa afirmação só pode admitir duas interpretações.

Ou bem a transferência é apenas um engodo, e o analista não deve preocupar-se com ela, nada tendo a temer. O ódio ou o amor que a transferência suscita não o visam realmente, só aparentemente concernem a ele. Se é o objeto de amor, não é senão um falso objeto, suporte de projeções imaginárias, e um pouco de bom senso deveria permitir que o analisante se separasse rapidamente da pessoa do analista. Do mesmo modo, objeto de ódio, sua benevolência terminará por triunfar diante da obstinação belicosa do sujeito.

É preciso reconhecer que isto também pode se resolver bem. Mas, infelizmente, nem sempre. Ocorre que o analista não sai ileso, e por mais que se repitam as meticulosas lavagens matinais de sua contratransferência, mesmo submetidas à supervisão, o ódio se mantém e a resistência triunfa.

Pois se a transferência é pura ilusão imaginária, onde fundar a solidez dos efeitos esperados da análise? Se o primeiro efeito do procedimento freudiano, a transferência, não passa de efeito imaginário, como fundar a estabilidade dos efeitos secundários dos quais continua sendo o meio — por exemplo, levantamento de sintomas ou modificações subjetivas?

Nós certamente temos a resposta, anunciada em nossa primeira parte. A transferência, fenômeno imaginário, é apenas lugar de passagem para a ação do simbólico que, ele sim, é a verdadeira mola-mestra da análise.

Resposta sólida, que no entanto funda a tese pela qual a transferência não passa de puro artefato da repetição — e vemo-nos levados outra vez ao início do jogo. Permanecem propostos, e não resolvidos, os temas submetidos à lógica da sopa. Será preciso acusar esses sujeitos de incredulidade a respeito do significante e de falta de convicção quanto ao seu inconsciente? Será preciso excluir da análise os pacientes "com paixões elementares" (*elementare Leidenschaftlichkeit*) (*G.W.*, X, p. 315), sem que as mulheres, evidentemente, tenham a exclusividade?

Há outra interpretação para a observação de Freud: o analista não é uma ausência, e sim uma presença; não é uma efígie, mas um corpo, real. Como diz Lacan (*Seminário XI,* p. 243): "O analista, não basta que ele suporte a função de Tirésias. É ainda preciso, como diz Apollinaire, que tenha mamas".

É essa presença que Freud põe em questão nos textos sobre a técnica, e que formula então com a expressão: resistência à análise.

Quando a transferência parecia ser o motor essencial do tratamento, distinguia-se mal da repetição; agora que se trata de deslindar sua função de entrave, escamoteia-se sob a resistência. Estranha ironia. Nos textos sobre a técnica, Freud torna praticamente equivalentes transferência e resistência. É fácil explicar.

A resistência é aquilo que se opõe à interpretação e, mais radicalmente, o que susta, paralisa as associações, Freud descreve com muita precisão este fenômeno em "A dinâmica da transferência" (p. 55). Quando surge uma resistência — por exemplo, uma detenção nas associações —, "a experiência mostra que aqui é onde surge a transferência". Mais precisamente, o que surge é uma "idéia de transferência" (*ein Übertragungsidee*) (*G.W.*, VIII, p. 369), isto é, uma associação que concerne ao analista.

Temos aí três tempos lógicos. Primeiro tempo: a palavra falta ao sujeito — é a resistência; segundo tempo: neste ponto de descontinuidade da palavra surge o analista — é a transferência; terceiro tempo: as associações são retomadas tão logo o sujeito "dirija à pessoa do médico" um elemento do "complexo" associativo — a repetição recupera aqui seu papel.

Vemos então o risco de uma interpretação apressada da transferência: retirando do analisante o analista como suporte da associação "por vir", corre-se o risco de travar o terceiro tempo e de reduzir o segundo ao primeiro, redução que nada mais é do que "resistência de transferência".

Diante de tal dificuldade, Freud revela seu embaraço quando propõe distinguir (*ibidem,* p. 57), da transferência que ajuda a repetição, "uma transferência negativa ou bem uma transferência positiva acompanhada de elementos eróticos recalcados".

Distinção estranha, porquanto o próprio Freud se reconhece impotente para excluir da transferência esses "elementos eróticos recalcados". Não se interpreta o amor de transferência, pois "nada permite negar ao estado amoroso que surge no curso da análise o caráter de amor 'verdadeiro' " ("Observações sobre o amor de transferência", *in op. cit.,* p. 127).

É o que Freud enuncia claramente. O cuidado de Freud ao comunicar a seus alunos as "Observações sobre o amor de transferência" é remetê-los ao desejo deles — mesmo que se inquiete, talvez não tão ingenuamente, pela tentação que lhes adviria de copular com analisantes. Aí onde amam vocês, intima ele aos alunos, não esqueçam que lhes cabe desejar. O analista deve desejar — manter a análise, evidentemente — recusando-se ao gozo que lhe é oferecido; isto é o que falta a H. P. Blum (9 *bis*) quando desconhece a diferença entre demanda (de amor) e desejo.

A direção da cura é assim retificada pelo analista com o apoio que deve encontrar em seu desejo, no qual é preciso reconhecer, pela rejeição do gozo que opera, o desejo do analista, tal como irá denominá-lo Lacan (*cf.* a obra de Serge Cottet *Freud e o desejo do psicanalista,* Jorge Zahar Editor, cap. XIV e XV).

A distinção que há pouco chamamos de estranha se esclarece, contudo, se a aproximarmos do acoplamento efetuado por Freud ao longo desses textos sobre a técnica, centrado especialmente naquele intitulado "Rememoração, repetição, perlaboração".* Freud contrapõe aí a rememoração ao que ele denomina *Agieren.*

Sabe-se que para Freud a rememoração é prioritária. Ela é signo da vitória sobre o recalque e sobre a resistência; é o modo ideal de retorno do recalcado no quadro da análise; é a melhor verificação possível da interpretação. O *Agieren* também é produção de material novo: este é um ponto essencial. Freud não o ignora: *Erinnern* e *Agieren* são equivalentes, substituíveis, em função da força da resistência (*Je grösser der Widerstand ist, desto ausgiebiger wird das Erinnern durch das Agieren* [*Wiederholen*] *ersetzt sein*) (*G.W.*, X, p. 130; — "Rememoração...", p. 109). A diferença é que, no caso do *Agieren,* o sujeito não sabe (p. 108) que se trata de uma repetição.

Freud vai inclusive mais longe quando contrapõe o *Agieren* — definido como uma compulsão à repetição (*ein Zwang zur Wiederholung*) (*G.W.*, X, p. 130) — a um impulso à lembrança (*ein Impuls zur Erinnerung*). E conclui propondo que a solução para esta dificuldade estaria no manejo da transferência (*die Handhabung der Übertragung*) (*G.W.*, X, p. 134). Tal manejo deve, com efeito, dar ao paciente um motivo para rememorar. Como se poderia esperar, esse motivo para rememorar, esse zelo pelo *Erinnern* nem sempre é obtido do analisante — e o terreno da transferência permanece submetido à resistência.

Mas se rememoração e *pôr em ato* [*mise en acte*] (como se traduz habitualmente *Agieren*) são ambos produções de material recalcado, a pergunta que surge é se trata-se do mesmo material.

O caminho que o retorno do recalcado escolhe, entre *Agieren* e *Erinnern,* dependerá apenas da força da resistência ou será que aquilo que volta pelo pôr em ato é um conteúdo específico que só pode manifestar-se pela via dos "elementos eróticos" transferenciais?

Pois o objetivo é especificado claramente por Freud: trata-se de aceder ao inconsciente, fazer surgir as representações recalcadas. Ora, ele há muito havia delimitado os modos privilegiados de acesso ao inconsciente: os sonhos, lapsos e chistes, que Lacan designa com a expressão "formações do inconsciente". Três modos que permitem a leitura do conteúdo inconsciente, privilegiados primeiro por serem interpretáveis. Esta é uma aquisição definitiva.

* Editado em português sob o título: "Lembrança, repetição e elaboração". (N.T.)

Mas Freud aborda os problemas técnicos precisamente pela atestação de que tais vias de acesso, reais ou principescas, estão salpicadas de obstáculos. Obstáculos que Freud agrupa sob a categoria de resistência de transferência.

Isso o leva a uma escolha. Ou bem aprofunda a técnica e leva mais adiante a exploração do terreno da transferência para ajustar as manobras adequadas para obter a vitória, ou bem postula esta resistência como um fenômeno cuja origem trata-se de encontrar.

Veremos que Freud nunca abandonou completamente a primeira direção, que será objeto de dois dos mais importantes textos dos anos 30: *Análise terminável e interminável* e *Construções em psicanálise.*

Desde 1918, entretanto, é levado a interrogar mais radicalmente, a um só tempo, a transferência e a resistência. De fato, se a resistência à análise revela que o sujeito pode não satisfazer-se com seu prazer, é porque esse prazer depende de um mais além, ao qual continua submetido. A descoberta freudiana de um além do princípio do prazer, a descoberta da pulsão de morte, acompanha a instauração de uma série de conceitos que revelam a Freud que o sujeito pode agir contra si mesmo, ao menos contra aquilo que parece ser seu interesse imediato.

O sujeito pode tender a preservar seu sintoma, pelo qual no entanto sofre — é a "resistência à cura"; pode rejeitar uma interpretação, mesmo correta, negar-se à rememoração e manifestar uma incredulidade hostil ao analista — é a "reação terapêutica negativa"; pode se obstinar em pretender-se culpado e reivindicar um sofrimento que considera um castigo equivalente — é a tirania indefectível do super-eu. O denominador comum dessa série encontra-se na afirmação do masoquismo primário, que impõe o postulado de que, para além do seu prazer, o sujeito tem que responder a um imperativo imperioso que questiona sua própria existência. Esse apelo é o do gozo, "cuja falta tornaria vão o universo" (*Écrits,* p. 819).

Esta descoberta provoca o que foi chamado de virada dos anos 20, para a qual todos os alunos de Freud tentarão, cada um à sua maneira, contribuir.

É Nunberg (32; 32 *bis;* 32 *ter*) quem, questionando o desejo de curar por descobrir nele um fantasma, tenta explicar por que precisamente este desejo pode entravar a cura.

É Stekel (39) quem interroga o manejo da transferência, num encaminhamento afinal próximo ao de Ferenczi, para dar as razões da reação terapêutica negativa. Aproxima-se à tentativa de Landauer, de Munique (23), assim como ao trabalho de Sterba de 1927 (40).

São Bergler e Jeckels, finalmente, cujo trabalho de 1934 (5) indaga sobre o papel do super-eu no tratamento, destacando sua "figura obscena e feroz" (*Écrits,* p. 360) — que eles chamam de "demônio" —, para reconhecer aí uma função não interditora, mas, pelo contrário, injuntiva e coercitiva. Como contrapartida, propõe com perspicácia o recurso ao efeito apaziguador do ideal do eu.

Há porém um analista que tentará prosseguir na via que Freud parece haver deixado de lado: a do terreno da transferência. Ferenczi — trata-se dele — propõe, de fato, retomar as questões técnicas deixadas em suspenso por Freud. Este último saúda o projeto de Ferenczi desde 1918, em "Os caminhos da terapia analítica" (*La technique*..., p, 131).

Esse projeto, ao qual se associa Rank, culmina em 1924 com a publicação de uma obra intitulada *O desenvolvimento da psicanálise.* Ferenczi parece ter escrito quatro quintos do total. Freud, posto a par do trabalho, apóia os autores e, segundo Jones (t. III, p. 63), dá a eles alguns conselhos. É a partir desse texto que Ferenczi elabora aquilo que permanecerá ligado a seu nome: a técnica ativa.

Durante dez anos, Ferenczi aprofunda, delimita e defende sua idéia ("Prolongamentos da técnica ativa em psicanálise", 1921; "Perspectivas da psicanálise", 1924; "Fantasmas provocados", 1924; "Contra-indicações da técnica ativa", 1926; "Elasticidade da técnica psicanalítica", 1928, "Princípio da relaxamento e neocatarse", 1930).

Os contemporâneos de Ferenczi continuam reticentes; mas essa reserva talvez não seja unicamente pelo desacordo, taxativo embora discreto, de Freud. Se Ferenczi visava uma dificuldade real da prática, sua solução não era contudo a melhor.

Ele parte da oposição entre a rememoração e o pôr em ato, reduzindo-a — como Freud se vê tentado a fazer — à repetição. Contentemo-nos em fazer uma única citação, que nos parece resumir o conjunto de sua tese, extraída de "Perspectivas da psicanálise" (*O.C.,* t. III, p. 234): "A atividade moderada, mas tão necessária, enérgica, que é exigida pela análise, consiste no fato de que o médico, em certa medida, aceita desempenhar o papel que lhe é prescrito pelo inconsciente do paciente e suas tendências à fuga. Favorece-se a tendência a repetir experiências traumáticas precoces, em geral ligeiramente inibidas, tendo obviamente como objetivo último a vitória definitiva sobre essa tendência à repetição, desvelando seu conteúdo. Quando tal repetição surge espontaneamente, é supérfluo provocá-la — e o médico só tem que tratar de que a repetição se transforme em rememoração (ou em reconstrução plausível)."

Assim, Ferenczi mantém a rememoração como objetivo final do tratamento. Não se desvia desse objetivo, mesmo nos textos mais tardios como "Problemas do fim de análise" (*O.C.,* t. IV, p. 45). O fato de que lhe associe a reconstrução faz até mesmo com que avance um pouco em relação a Freud, que não dará a esse termo sua expansão plena senão a partir de 1930.

Sua hipótese é que o pôr em ato é suporte de um material inconsciente que se trata de reintroduzir na rememoração — isto levando em conta a resistência à interpretação que esse pôr em ato oferece. Ferenczi toma então ao pé da letra a expressão freudiana "manejo da transferência", e tenta precisar seu papel na direção da cura.

O *Agieren,* quer dizer, a transferência em sua vertente de resistência, é ou não uma via de acesso ao material inconsciente diferenciável da rememoração? Eis a pergunta de Ferenczi.

Este porém não é o ponto que parecem haver retido os contemporâneos de Ferenczi, cujas referências à "técnica ativa" estarão presentes na literatura até o final dos anos 30.

Landauer, por exemplo, tenta transpor o problema à prática com crianças. Citemos ainda R. Laforgue (22) que, mediante manobras vizinhas à sugestão, suprime uma fobia ao contato sexual. De resto, é por sua proximidade à sugestão que Alexander (2) contesta, desde 1925, a posição de Ferenczi.

O movimento analítico parece esquecer este debate a partir dos anos 40. Encontramos apenas, aqui e acolá, referências ao último texto de peso escrito sobre Ferenczi — o de Izette de Forest (13).

Curiosamente, ao ler o texto de Paula Heimann (18) e sua retomada quinze anos mais tarde (18 *bis*), somos tentados a pensar que o verdadeiro eco do trabalho de Ferenczi se encontra na tendência kleiniana.

Mas, voltando a este último, ele perde a justa orientação de seu ponto de partida provavelmente por duas razões.

Primeiro, porque sua concepção da transferência mantinha-a sob a determinação da repetição, e até mesmo da repetição de "traumatismos precoces". O pôr em ato continua sendo para ele uma escorregadela da repetição, à qual persiste em querer voltar a todo custo. É essa obstinação que o leva a introduzir, em 1930, a neocatarse.

A segunda razão, provavelmente mais radical, é que não podia conceber a análise a não ser visando uma reconciliação final, traindo assim suas reservas quanto à pulsão de morte. Como Lacan indica (*Seminário XI*, p. 145), sua posição de analista é a do filho-pai. Em "Princípio de relaxamento e neocatarse" (*O.C.*, t. IV, p. 97), escreve o seguinte: "O que os neuróticos precisam é serem verdadeiramente adotados e que se os deixem desfrutar pela primeira vez das beatitudes de uma infância normal". Isto é confundir uma suposta "dependência" ligada à tristemente célebre "necessidade de amor" com aquilo que Lacan chamará, a partir de 1953, de desejo de reconhecimento — que o sujeito só pode receber do simbólico.

Freud então irá responder tardiamente a seu discípulo, em 1937, com *Análise terminável e interminável;* e responde de fato a duas questões abertas por Ferenczi.

Em primeiro lugar, a que se refere ao material que, na análise, permaneceria silencioso, recalcado, ou então interpretado, caso se houvesse manifestado apesar de tudo.

"O próprio analisado não chega a colocar na transferência todos os seus conflitos. O analista, por seu lado, tampouco pode despertar fora da situação de transferência todos os conflitos" (*Análise terminável...*, *R.F.P.*, XI, nº I, 1939, p. 19; — *G.W.*, XVI, p. 77-78) Freud confirma a importância final do "terreno da transferência", mas nem tudo pode se alojar aí. Duvida de que o analista, seja qual for a posição que ocupa ou o uso técnico que dela fizer, possa ultrapassar esses limites.

Dito isto, acrescenta em outro livro do mesmo ano, *Construções em análise,* que a interpretação não é tudo no ato do analista e que as lacunas do material são entretanto balizáveis, pois podem ser objeto de uma reconstrução.

Contudo, o que pode parecer uma concessão a Ferenczi é mais facilmente contradito em *Análise terminável e interminável.* Aqui, não se trata mais das lacunas do material, mas das razões dessas lacunas, ou seja, a resistência.

"Gostaríamos de não contar com uma resistência que se contrapõe à descoberta das resistências" (*G.W.*, XVI, p. 85; — *R.F.P.*,

XI, p. 25). Eis então que surge uma nova forma de resistência, uma resistência ao quadrado, de certa maneira.

E essa resistência, que indica que "as transferências negativas levam à vitória", manifesta-se de um único modo: o sujeito cessa de obedecer ao contrato analítico (*Vertrag*), isto é, à regra fundamental.

E o que dá consistência a esta resistência, a esta transferência negativa, é o analista. O analista torna-se um estranho (*nur ein fremder Mensch*) (*G.W.*, XVI, p. 85).

Não deixamos o terreno da transferência, mas o inimigo agora é o analista, a quem se atribui aquilo que o sujeito, desde então, não quer mais saber, e que Freud denomina "as exigências desagradáveis" (*unangenehme Zumutungen*).

Quando se reconhece nessas exigências as da castração — com que Freud termina seu texto —, quando se admite que, no terreno da transferência, tais exigências só podem ser mantidas pela insistência do analista, devemos concluir que essa resistência radical que Freud vincula à pulsão de morte está a cargo do analista.

Pois o próprio analista é o estraga-prazeres. É ele quem impede o significante de evoluir veiculado incansavelmente de uma formação do inconsciente a outra. É o analista, não como "um outro" sujeito do inconsciente — nada de intersubjetividade —, mas como presença maciça, obtusa, balorda e até mesmo hostil (*fremder Mensch*); como presença fixa, inamovível, que entrava a espontaneidade da palavra, de um sonho a um lapso, de um lapso a um chiste, de um chiste a um sonho. Em suma, sem analista limitado, obstinado, teimoso e ignorante, sem analista para quem meia palavra não basta, o analisante ligado à associação livre pelo procedimento freudiano se reduziria a um puro sujeito do significante, ligeiro e aéreo como as próprias palavras.

Admirável expressão, aquela que certo analisante gosta de usar: "Está vendo o que eu quero dizer?" Não, o analista nada vê e só entende o que lhe dizem, nada além. A psicanálise não é uma hermenêutica.

Abordaremos aqui o que será a questão da nossa terceira parte: o analista em sua função de objeto, e mais precisamente do objeto designado por Lacan com a letra *a* minúscula.

Quisemos mostrar que esse obstáculo à metonímia significante, encarnado pelo analista, jamais se manifesta tão nitidamente quanto no amor de transferência, ao qual se reduz *in fine* a transferência.

A repetição é o modo privilegiado do retorno do recalcado e suporte pelo qual o sujeito produz os significantes inconscientes aos quais está sujeitado.

O terreno da transferência é também aquele em que a repetição acede à análise. Mas a transferência encontra sua especificidade não na relação do sujeito com o significante, com o Outro — este se encontra liberado, depurado —, mas na relação do sujeito com o objeto.

Isto é introduzido por Lacan desde o início de seu ensino, etapa em que predomina justamente seu retorno a Freud: "A transferência não é nada de real no sujeito, é a aparição, num momento de estagnação da dialética analítica, do modo permanente pelo qual ele constitui seus objetos" ("Intervenção sobre a transferência", in *Écrits,* p. 225).

Como não situar, nessa estagnação, o "fechamento do inconsciente" do *Seminário XI* e a dialética do desejo por trás da "dialética analítica"?

Em outras palavras, esses tempos em que a transferência interrompe as associações — momentos de estagnação —, longe de serem tempos mortos, perdidos para o sujeito, são pelo contrário intervalos onde desponta um material específico — aquele da relação com o objeto, isto é, o do fantasma.

Resta ver como esse material, silencioso por definição, pode ser introduzido na análise e interpretado pelo analista.

III — A METÁFORA DO AMOR

A rosa não tem porquê...
Angelus Silesius,
Pélerin chérubinique, I, 289.

A cura se desenvolve então no terreno da transferência. Mas habitualmente só temos idéia da transferência através de uma série de manifestações desconexas. A mais patente é a paixão à qual o analisante é arrastado — paixão que comumente toma a forma do amor.

É preciso dizer, contudo, que o amor de transferência nada mais é do que o conjunto de fenômenos que se produzem quando o analisante se consagra à livre associação, o que foi chamado por Lacan de tarefa do analisante. Constatamos, num primeiro tempo, que essa tarefa tem um efeito sobre o sujeito, cuja tradução é no entanto extremamente diversificada.

Esta variação do fenômeno nos obriga a procurar a estrutura da transferência para além das manifestações afetivas, sejam elas tonitruantes ou imperceptíveis.

As declarações de amor disfarçadas, alusivas, codificadas, ou então diretas, e até mesmo impudicas; as confissões de desconfiança, incredulidade ou ceticismo irônico; as petições de aberta hostilidade; os anúncios de enfrentamento inapeláveis; as emboscadas astutas e pacientes; o amor sabe tornar-se demanda imperiosa para exigir, espera implorante para suplicar, reclamação calculada para negociar. Mas é também a idéia fixa, a enlouquecedora coerção associativa fora da sessão, o surgimento enganador da silhueta do analista em cada esquina, ou o eco de sua voz em cada ruído mal escutado, a iminência de sua presença jamais realizada; o amor torna-se perseguição, e o universo fervilha com o excesso de seus signos. Cabe ao analista saber não fazer disso uma erotomania, evitando dar seu aval à certeza ameaçadora. No entanto, ninguém se surpreenderá com a indiferença serena, fleugma exibida, a sonolência irreprimível, o tédio desolado ou culpado — quer invadam um ou outro dos parceiros, são apenas outros tantos avatares do amor de transferência. Permanece aberta a lista de tudo o que o sentimento induz no ser falante. Também seria inútil tentar sua classificação por tipo clínico, pois um mesmo sujeito, certamente neurótico, mas histérico, obsessivo ou fóbico (acrescentemos perverso, na medida em que se oferece ao analista, mas deixemos de lado psicótico, cuja afinidade com a erotomania tem razões estruturais) pode percorrê-los todos ao sabor dos obstáculos de seu tratamento.

Além disso, a lista se complica com as modalidades que tais avatares utilizam para emergir no material. Se o sujeito pode dizê-las à queima-roupa e sem rodeios, o analista não se privará, por sua vez, de sublinhá-las nos lapsos, sonhos, atos falhos e mesmo nos relatos mais anódinos da vida cotidiana, que ganham aí sua significação. Poderá mesmo, sombra onipresente, revelar sua encarnação em cada um dos pequenos outros — hesitamos em dizer "objetos" — que rodeiam seu paciente.

O significante serve de guia para seguir o rastro das cadeias que enlaça, cadeias que convergem num ponto para impor um lugar ao analista. Este lugar é primeiramente imaginário. Nem por isso é menos essencial delimitá-lo para que o analista possa deduzir a posição na qual saberá o que fazer da transferência. Interpretá-la, diz-se precipitadamente. É, como vimos, a resposta conveniente, embora prematura.

Se bem que Freud tenha insistido na necessária coexistência das duas vertentes da transferência, obstáculo e suporte a um só tempo para o prosseguimento e a obtenção da cura, parece, contudo, que seu primeiro aspecto é, de longe, o que mais preocupa os analistas. Sem dúvida porque sonham em lidar apenas com o que lhes parece essencial: uma repetição depurada de qualquer transferência, um material inconsciente como pura repetição.

Os analistas internacionais nem sempre perdem as esperanças de obter semelhante "naturalização", que aliás tornaria supérflua sua "benevolência". Embora esta possibilidade tenha sido questionada por certos alunos de Freud (6), ela constitui a tese central de um autor como Racker — cuja influência no continente sul-americano é bem conhecida — e continua sendo uma esperança em trabalhos mais recentes (27, 28).

É por isso que os analistas propõem, como princípio para o progresso do tratamento, a "análise da transferência" — expressão que se tornou equivalente à "interpretação da transferência".

Mas aquilo que os analistas assim denominaram está longe de haver perdido toda a ambigüidade. Por um lado, como compreender a conexão entre esses dois termos? A distinção sutil entre "interpretar *a* transferência" e "interpretar *na* transferência" não elimina esta ambigüidade: por menos que o analista seja parte interessada na transferência, essas duas expressões são, efetivamente, equivalentes. A noção de contratransferência só tem sentido por homologar de princípio a inclusão do analista na relação analítica. (Este é o grande mérito da obra de M. Neyraut, *A transferência* (30). Ele a distingue mal da repetição — página 213 —, mas se aproxima no entanto do conceito de sujeito suposto saber pela prioridade que dá ao analista em sua instalação.) Nenhum exame de consciência, nenhuma neutralização de suas próprias emoções poderia, desde então, excluí-lo dela: o analista está lá para dizer "presente" ante o apelo do sujeito. Resta saber de que presença ele é assim instituído.

O outro aspecto dessa ambigüidade refere-se aos limites a serem dados ao material que a interpretação teria que levar em conta.

É um velho debate que, nos anos 30, sugeriu aos analistas a distinção entre o extra — e o intra-analítico. O debate ganha uma nova atualidade nos Estados Unidos, onde os analistas, admitindo que "analítico" é equivalente àquilo que o analisante diz no divã, nele distinguem, entretanto, o "transferencial" do "extratransferencial". Detenhamo-nos por um momento nessa polêmica.

Nossos autores estão de acordo em dois pontos: primeiro, a interpretação tem como função principal denunciar as transformações, os disfarces e até mesmo as falsificações que a transferência impõe ao material inconsciente. Segundo, se tal interpretação é possível, isto se dá porque as próprias transformações são determinadas pela repetição, que encontra na transferência e na pessoa do analista um suporte para suas manifestações. Interpretar a transferência vem a ser, portanto, interpretar a repetição sob seus disfarces no famoso "aqui e agora" da sessão. Até aí tudo é simples, de uma simplicidade admiravelmente ilustrada por Greenson, por exemplo, em *Technique et practique de la psychanalyse* (17 *bis*), mas esta simplicidade implica (p. 326) "assegurar-se da presença de um eu razoável e de uma aliança de trabalho".

No entanto, permanece aberta, no centro do debate que evocamos, uma questão: como situar o material que não tem ligação evidente com a transferência, isto é, com a pessoa do analista — o material chamado extratransferencial? Podemos distinguir três respostas para esta pergunta.

Ou o material não deve ser levado em conta: o analista não o interpreta e o deixa de lado, à espera de que apareça na transferência. É uma tese razoável — Leites (25), por exemplo, e Brenner (10), de modo menos taxativo — que evoca a posição de Freud quando responde a Ferenczi em *Análise terminável e interminável* (p. 19).

Ou bem, transferência ou não, todo material deve ser interpretado, por menos que apareça no contexto da sessão. Então — como interpretá-lo, qual é seu ciframento se aí o analista não revela o dele próprio? Temos outra vez duas teses.

Leo Stone (41) propõe a hipótese de uma repetição latente, fora da transferência, eventualmente também alheia a qualquer relação com o material precedente. Os exemplos que dá mostram inclusive que a interpretação é que produz a repetição, e ao fazê-lo se verifica. A hipótese aqui é a de um saber inconsciente que o analista provoca. Esta provocação é justificada na medida em que situa o analista como destinatário da livre associação. Sem o saber, e, evidentemente, sem dizê-lo, Leo Stone distingue o analista *a quem* o analisante fala do analista *de quem* fala o analisante.

M. Gill e H. Muslin se opõem a isso. Consideram que o analista é aquele do qual o analisante fala, e isso já justifica sua resposta. Tese onde não faltam coragem nem excessos. Para eles, o analista está sempre no centro das associações do analisante, e é preciso interpretar-lhe isso, na primeira oportunidade e sem demora. E é nessa espera inclusive que situam o erro de Freud com Dora (15) (p. 311). Mas se semelhante repetição não encontra sua chave na historização que a repetição introduz no material, onde encontrará a mola-mestra de sua significação? É aqui que o excesso de nossos autores desemboca no erro. O apoio que não é encontrado na repetição — ou seja, nisso que se supõe ter surgido do saber inconsciente —, nossos autores o recolhem no saber doutrinário da psicanálise. A interpretação torna-se caricatural: se tal referência explícita ao falo, por exemplo, pode em geral ser verdadeira, também pode, no "particular", não ter qualquer significação. Poderíamos, de resto, aproximar semelhante técnica interpretativa a certos hábitos da escola kleiniana.

As dificuldades encontradas pelos analistas que participam deste debate são simplesmente as da prática. A sua não as suscita mais que a de qualquer outro; mas as respostas que anunciam são passíveis de contestação.

Uma só palavra, com efeito, basta para centrar este debate: a palavra saber. Sobre que saber se apóia o analista para interpretar? Generalizando: que saber está em ação numa cura, e como gira ele entre um e outro dos dois parceiros?

É fácil dar, a respeito, duas ilustrações opostas. Primeiro, o saber identificável com o termo freudiano "recalcado", isto é, o saber que o analista — e seu analisante, por rebote — se empenha em ler nas associações do analisante. Este é o saber que Freud esperava que o tratamento fizesse *Bewusst sein.* Palavra estranha, traduzida habitualmente como "tornar consciente', mas que, por sua etimologia e sua construção, evoca a conexão entre o ser e o saber. Observemos logo que o desenvolvimento do *cogito* cartesiano feito por Lacan coloca essa conexão como impossível, ao menos sem perda.

Por outro lado, é uma dificuldade que os analistas constatam com espanto: o enunciado do inconsciente nunca é o que deve ser.

O espanto de nossos autores é cômico por vezes quando teimam em definir a técnica que permitiria uma comunicação plena da informação — por exemplo, Olinick (33) e seu *phatic speech.* Não nos surpreende que aspirem às vezes fundir-se com seu paciente, e até mesmo desenvolver seu dom telepático (12).

Ao contrário dessa concepção do saber como saber inconsciente, há o saber doutrinário do analista, aquele que recebe de sua formação, de suas leituras, de sua análise, mas que constitui também a partir de sua própria experiência. Vimos como é fácil fazer sua caricatura quando o analista aí está, como o médico de Molière, com seu jargão; quanto a isso, há tiques de linguagem ou de sintaxe tão engraçados na ocasião quanto a afirmação peremptória da introjeção da mãe má ou do desejo de castrar o falo do analista. Mas isto é bagatela: uma "boa" transferência pode fazer passar bem pior, ao passo que uma "ruim" fará parecer a maior das esquisitices qualquer som emitido pelo analista. Não existe técnica da psicanálise se não houver uma para cada tratamento.

Saber inconsciente por um lado, saber doutrinário por outro determinam um eixo sobre o qual não é difícil ilustrar os pontos intermediários: assim, quando o analisante vê suas associações orientadas pela elaboração de uma teoria, que seria a de seu próprio inconsciente, resultaria imprudente rejeitar essa pesquisa chamando-a de "racionalização"; ou ainda, quando o analista fica siderado ante a concordância de suas próprias associações com as do seu analisante, o fato de dizer-se — como dita certa moda parisiense — "atravessado" pelos significantes de seu paciente não é mais esclarecedor do que encontrar aí esse dom telepático que evocamos.

O saber é do Outro, temos que partir disso, e é por essa primeira suposição que uma parte dele pode voltar ao sujeito. É do Outro e está no lugar deste também para o analista que, por fraqueza imaginária, corporiza o inconsciente de quem lhe fala em seu conteúdo craniano.

Por isso Lacan fala de "constituinte ternário", em relação aos dois parceiros presentes, quando introduz o *sujeito suposto saber* como "pivô onde se articula *tudo* [grifo nosso] o que se relaciona com a transferência" (*Scilicet,* I, p. 19).

Colocar o saber como ponto de partida e eixo central da transferência simplifica consideravelmente sua concepção e permite deslindar sua estrutura. Tentemos então detalhar suas implicações.

Isto indica em primeiro lugar que o sofrimento, por excessivo que se torne, não é suficiente para levar o neurótico ao analista. O sofrimento dito do sintoma é uma companhia fiel que pode conduzir o sujeito a um terapeuta, que promete a felicidade, mas não a um analista. Para que haja demanda de análise é preciso que esse sofrimento faça signo para o sujeito, signo de um Outro cujo saber faria desse sofrimento uma significação. O sujeito que demanda uma análise já sabe que seu sofrimento não é só pergunta, é já uma resposta — o que Freud indica ao situá-lo como compromisso. O que o analisante demanda é receber a significação de um signo que supõe que o Outro lhe dirige, tendo o saber a função de mediatizar essa significação.

Por outro lado, é falando *desse* Outro que em geral o sujeito começa sua tarefa associativa, eventualmente para queixar-se dele. Vê-se aqui que o lugar está totalmente pronto para que o analista o acupe: lugar daquele a quem se pode fazer queixas, oferecendo-lhe sua divisão. Reconhecemos aqui o ponto de partida do discurso histérico, via de entrada, se é que existe, na análise. O discurso histérico, de fato, escreve esse reportamento no lugar do Outro do significante. Cabe ao analista empreender o seu retorno.

Notemos que este retorno é o inverso de uma ação terapêutica, se esta pode ser definida como aval, ou até mesmo cumplicidade do Outro para com um desconhecimento. Freud constatou logo: o saber é muitas vezes mais pesado de transportar do que o sintoma que resulta de seu recalque.

Isto esclarece em parte a confusão em que os analistas ficam quanto ao fim do tratamento, que tem também como eixo a função do saber.

O tratamento, com efeito, encontra sua solução no reconhecimento pelo sujeito do limite a ser dado a tal saber, a partir do qual pode decidir interromper seu pedido de saber. É preciso ainda que tal limite seja também o do Outro. Que o analisante decida que sabe suficientemente disso, afinal, é de seu mais estrito direito. Mas para que este fim do saber seja uma verdade para o sujeito, é preciso ainda que o Outro, neste ponto, não seja mais suposto saber disso.

É nesse ponto que o Outro e o analista se distinguem mais radicalmente no que se refere à sua relação com o saber. Pois o analista bem pode saber alguma coisa do que sustenta seu analisante na existência, este último esclareceu-lhe bastante sobre seu inconsciente; o saber, por seu lado, não tem mais que ser suposto, é acessível diretamente. O Outro, contrariamente, já disse a sua última palavra — precisamente, que esta falta. É o que Lacan escreve: S(A̸); o Outro não sabe mais.

Só neste caso a recusa a saber que até então animava a resistência do sujeito se torna rechaço — não rechaço do saber, que não tem, mas do ser que, já agora, sabe: aquele que o analista encarna. O analista é rechaçado "como esterco" (*Scilicet,* I, p. 25) porque, agora, sabe.

Retomaremos aqui estes últimos pontos pois, entre o começo e o fim, o "desenvolvimento" da cura nada mais é do que a operacionalização de sua conclusão.

O apelo ao saber do Outro, inaugurando a transferência, oferece ao analista uma *vestimenta "prêt-à-porter"*. Se o analisante a propõe, porque iria desdenhá-la? Só que, no início, o saber está por ser encontrado, e encontrá-lo depende das associações do paciente. Não apenas o sujeito suposto saber se constitui como terceiro, mas circula imaginariamente entre ambos os parceiros.

O vetor desse vaivém é a suposição que não só sustenta a demanda de saber, como a relança depois de cada uma de suas emergências.

Este particular estatuto do saber traz embaraços aos analistas, como vimos a propósito do debate sobre a interpretação. O analista, de fato, pode muito bem resolver ser somente aquele que escuta; mas não pode aplainar totalmente a questão da interpretação. A interpretação não é o muro ao pé do qual o analista é esperado para dizer o que sabe? Inclusive, como Lacan indica, o que sabe fazer — na medida em que empenha aí sua responsabilidade.

As comoções provocadas pelas "ilusões" do amor de transferência empurram os analistas a silenciar — por estarem aí engajados de outra maneira? — sobre as "ilusões" que competem ao saber. De onde tira o analista aquilo que diz? Em que saber se fundamenta? Que instância última dá seu aval à interpretação — e, generalizando, ao ato do psicanalista?

A transferência sustenta de tal maneira a relação analítica que nela o analista pode aparecer como aquele que nunca se engana. Por outro lado, é longa a lista de termos da teoria que poderiam autorizá-lo a pensar assim: resistência, defesa, negação, amnésia, masoquismo, reação terapêutica negativa... todas elas noções que justificam o analista a creditar ao analisante tudo aquilo que claudica no tratamento. Quer o analista se remeta à sua experiência, a Freud, ou mesmo a seu supervisor, ao lugar da sua interpretação, mesmo assim fica só, sustentado apenas por seu desejo. O analista, *in fine,* só se autoriza por si mesmo, seja qual for sua filiação ou sua doutrina.

Esta questão é de estrutura, e nenhuma aprendizagem técnica trará a sua solução. Ela interroga a estrutura do grande Outro e da ausência — como já vimos — de qualquer significante último. É no lugar dessa falta do Outro que Freud situava o recalque originário, exclusão de um significante primeiro do qual — por conseguinte — nenhum saber pode resultar. É nesse lugar que, por exemplo, M. Gill e H. Muslin colocavam as respostas pré-fabricadas que tiravam da doutrina.

Mas é preciso reconhecer que, por trás deste esquematismo incisivo que desvaloriza a teoria freudiana, aparece a confusão do analista interpelado como aval de um saber que o sujeito lhe atribui. Ora, é nesse ponto mesmo que Freud instala a função paterna, para exprimir para o sujeito o obstáculo onde o desejo encontra sua condição, que denominou castração. Resposta última e sem apelação, já que indica também que o pai, para exprimir essa resposta, só poderia ser o pai morto (*Écrits,* p. 812).

Já se sabe, a resposta definitiva é repelida por mais de um analisante, que prefere deixar a cargo do Outro o saber sobre a castração.

O importante é que não só se evoca esse saber no final de um tratamento, mas em cada uma de suas escanções, em cada um de seus giros, pois o Nome-do-Pai é o significante necessário para o efeito de metáfora. Ora, o Nome-do-Pai é secundário em relação à falta do Outro, do qual é apenas o adorno, se não a ostentação significante.

O analista tem dois recursos para responder a essa vacilação do saber. O primeiro tem nome: desejo do psicanalista; o segundo: semblante.

Quando os analistas, como pudemos ver em alguns exemplos, ficam desolados porque seus enunciados — assim como os de seus pacientes — não têm um conteúdo informativo à altura de sua expectativa, é evidentemente com relação a esse saber suposto que surge a idéia de uma perda. Esta perda é o que Lacan designa, em *l'Étourdit,* pela relação entre o *dizer* e o *dito.*

A solução não tem que ser buscada pelos lados da teoria da comunicação — onde as práticas sistêmicas se distinguem radicalmente da psicanálise. Essa perda, efetivamente, só está a cargo do psicanalista, que a encarna e endossa a um só tempo.

O analisante experimenta essa perda como aquilo que vem redobrar sua divisão e, por isso, vê-se afastado de seu desejo, que sua palavra fracassa em dizer.

Ele se vê afastado de seu desejo pois este surge bruscamente em sua radical alteridade: aí, mais que nunca, o desejo *é* desejo do Outro. Mas aí, mais que nunca, cabe ao analista suportar sua carga e não se subtrair ao que a dialética do desejo lhe exige.

O analista não pode se contentar com sua desolação ante a impotência das palavras para enunciar esse desejo: sua função aqui, imperativa, é encarnar o Outro do desejo.

O desejo do psicanalista — pois é disso que se trata — pode ser lido eventualmente através de algum texto analítico. Lacan nos deu algumas ilustrações disso no *Seminário XI* (p. 144-145), mas nos indica também sua estrutura mais radical quando o identifica à própria enunciação do analista, com o que, precisamente, pode ser atenuada a deficiência dos enunciados quanto ao desejo.

Vemos então que a intervenção do analista, aquilo pelo qual ele exprime seu desejo ao sujeito, não chegará a este último apenas pelo enunciado de suas interpretações, mas também pelas formas e momentos de seu silêncio. Certamente não o silêncio de puro convencionalismo, pois é preciso calar-se para escutar o outro que fala, mas a recusa a responder lá onde o analista teria algo a dizer, o silêncio de chumbo que reduplica o do analisante, e ainda a pergunta muda, eco angustiante do limite do saber do Outro. O ser do analista é silencioso, por meio dele se faz presença, enigmática e compacta.

Da "palavra plena", o "bem dizer" da interpretação verdadeira, até o silêncio incisivo que pontua, escande e relança a dialética do tratamento — tratam-se de modulações do ato do qual o analista é investido pela transferência.

Mas esse saber do qual deve fazer enunciado, este desejo do qual deve fazer enunciação, são seus apenas pela procuração que lhe passa a transferência — tanto quanto o sujeito suposto saber —, certamente em jogo num tratamento, mas da qual o analista ao final deste, deve ser aliviado.

O analista só pode fazer valer esta procuração cobrindo o impasse de sua origem. Caso contrário, se denunciar de início essa ilusão, a transferência e o próprio analista se vêem levados a um jogo de espelhos e de projeções imaginárias. Se a transferência se interpreta, isto não é no sentido de que a ilusão que produz poderia ser eliminada, mas no de que essa ilusão teve seu tempo e alguma outra pode substituí-la. O que importa não é evidentemente a verdade do analista: as enternecedoras turbações dos analistas padecentes de contratransferência são apenas pieguices deslocadas. O que importa é a verdade do analisante, e essas ilusões sucessivas são, cada uma delas, meios para significá-la.

Vemos que a transferência impõe ao analista aquilo que Lacan denomina *semblante*. Termo que por outro lado pode ser entendido como o que designa a particularidade inicial do significante: primeiro, a de nunca ser nada mais do que um semblante com relação ao real; depois, a de se fundar como saber apesar da ausência de garantia última.

Mas não é do saber que o analista tem que fazer semblante. Por um lado, porque o saber — como acabamos de dizer — *já* é um semblante. Mas também porque o saber, quando não é mais suposto, torna-se para o sujeito uma significação, e, mais precisamente, uma significação de verdade. Ora, a significação de verdade só depende do modo de articulação dos elementos associativos, isto é, da lógica que organiza a cadeia significante. Em outras palavras, pouco importa que uma lembrança encobridora (por exemplo) corresponda a um acontecimento real — sua verdade será significável a partir de dois parâmetros: seu lugar na cadeia associativa e seu balizamento quanto ao momento da dinâmica da transferência em que se produziu a lembrança.

Portanto, é de outra coisa que não o saber que o analista tem que fazer semblante: justamente daquilo que não é *já* significante.

Aqui abordamos de frente uma questão que ficou subjacente desde o início deste artigo. Ela se apóia no paradoxo de que o procedimento freudiano, pelo viés da livre associação, privilegia um certo tipo de material, em primeiro lugar aquele que se relaciona com a repetição — o que deixa de lado outro tipo de material, menos submisso à associação, mas ao qual se vinculam, entretanto, as maiores dificuldades que a prática da psicanálise encontra.

O ensino de Lacan nos recomenda que classifiquemos esse outro tipo de material sob o registro do objeto, especialmente no contexto onde o sujeito a ele se liga, a saber, o do fantasma.

Que o fantasma seja a moldura em que se ligam sujeito e objeto, eis um dado que Freud estabeleceu desde que isolou seu conceito.

E, por outro lado, é claro que a relação de objeto aparece — com este nome — como uma preocupação habitual do conjunto dos psicanalistas.

Só que à medida em que estes a expõem e a desenvolvem, embora a relação continue sendo interrogada, o objeto se apaga em sua formulação. O objeto só é mantido, com efeito, sob a forma da representação imaginária cujo acesso não é outro senão — novamente — a repetição. Em outras palavras, a relação de objeto se reduz, para o conjunto dos psicanalistas, ao material imaginário — isto é, ligado às *imagos* — da repetição.

Isto é verdade mesmo para os kleinianos, que fazem da relação de objeto o centro de sua prática da cura (por exemplo, Paula Heimann, 18, 18 *bis*). De fato, os alunos de Melanie Klein privilegiam o fantasma e se esforçam para tratar de maneira especial o material que ele produz no tratamento. A meta que têm, contudo — e isto em boa lógica, pois é a partir da transferência que o abordam —, é interpretar o fantasma, interpretação que só pode levá-los à repetição.

Sabe-se, de resto, que os defensores da *ego-psychology* e seus alunos atuais (I, 37) tinham de fato o objetivo de analisar o fantasma, principalmente a partir do material concernente à relação de objeto — mas era para abrir os olhos do paciente sobre... a realidade, o que resulta na introdução do sujeito recalcitrante em um fantasma coletivo, ou, pelo menos, compatível com o coletivo. Se o fantasma é uma tela, pode ser aquela onde se projeta a realidade, mas é também a que mascara o real.

A única emergência possível do fantasma, para além de suas expressões imaginárias, é a construção. Freud o indica em seus dois textos essenciais que tratam do fantasma: *Uma criança é espancada* e *Construções em análise.*

O fantasma não se interpreta, constrói-se. Por isso, destaca-se radicalmente, como tal, da repetição. Por isso, permanece silencioso. O fantasma é uma fixidez silenciosa, como mostrou Jacques-Alain Miller em seu curso de 1982-83, no qual nos inspiramos para os pontos essenciais deste desonvolvimento.

É preciso salientar que não por construir-se deixa assim de ser silencioso — pode mesmo ser reforçado com isso. Certos autores o denotam como um efeito de reforçamento do caráter, e mesmo de reforçamento narcísico do sujeito (3; 19; 31). Mantendo-se intacto, o fantasma pode, com efeito, acolher generosamente o gozo que a ação "terapêutica" da análise desalojou do sintoma. Por que hesitar em falar de efeito pernicioso, senão perverso, da psicanálise — *Verleugnung,* diz Lacan (*Scilicet,* I, p. 25) — sobretudo se esse efeito é garantido por um aval didático que o "analisado" encontra ao tornar-se analista?

Pode-se ainda creditar ao silêncio do fantasma e de sua renitência à interpretação outra conseqüência, desta vez no contexto das teorias dos analistas. Aqueles que não o interrogam para além de suas manifestações imaginárias se inquietarão pelo lugar e pelo destino que seria conveniente dar aos "afetos", que a ênfase dada por Lacan à função do significante deixaria de lado (cf. certo autor francês que pagou, com trabalho nesse sentido, seu ingresso na cena internacional; mas também 8; 20; 26). Isto era produzir um contra-senso radical (voluntário?). O ensino de Lacan não conduz, certamente, a desconhecer o afeto, mas a propor aos analistas uma conceituação que lhes permita "tratá-lo", isto é, integrá-lo à dinâmica do tratamento que, queiram ou não, continua sendo uma *talking cure.*

Ora, o afeto tem uma tradução na cura analítica: é o amor de transferência. O resto é só artifício, não porque esteja fora do significante — ao contrário, pois pode converter-se em queixa, por exemplo —, mas fora do discurso analítico, no sentido da formalização que Lacan lhe dá. Que seja em contrapartida legível no discurso histérico mostra o limite diante do qual os analistas se detêm.

Integrar à função da palavra e ao campo da linguagem aquilo que não é "do significante" mas participa do inconsciente, esse silêncio para o qual Freud inventou a mitologia das pulsões, eis o que está em jogo com o objeto *a,* na medida em que o amor de transferência permite ao analista fazê-lo surgir como semblante. É a esse surgimento que o manejo da transferência pode dar o valor de uma metáfora.

Pois o amor é uma palavra que concerne ao ser. O amor não é silencioso. Denunciá-lo como narcísico não o reduz ao imaginário, somente indica o desconhecimento radical no qual o sujeito funda sua existência.

Mas esse desconhecimento — chegaríamos a dizer: forclusão? — está também na origem do desejo, pois este implica que o sujeito entre, pela palavra, no campo da significação fálica. É o que Freud indicava ao situar a libido — isto é, a realidade sexual do inconsciente — como substituta do narcisismo.

Vimos, contudo, que essa legalização do desejo pela castração poderia constituir um obstáculo insuperável para o tratamento. Para aceder à castração é preciso fazer dela um aquém, ou seja, distinguir um gozo — fora do falo — que não caia por este fato sob a jurisdição paterna.

Por isso, eliminar esse desconhecimento — simplesmente: saber o que somos, para o pior —, isto é, cair de seu fantasma, pode parecer ao sujeito que está pondo em perigo seu desejo. Risco que tem que ser corrido — este, por exemplo, de dever tornar-se analista. Resta para o sujeito optar pela amnésia, o que não deixará ninguém aborrecido.

1985

BIBLIOGRAFIA

1. ABEND (S. M.), «Some observations on reality testing as a clinical concept», in *The Psychoanalytic Quarterly*, vol. LI, 1982, p. 218.
2. ALEXANDER (F.), «Review of Entwicklungsziele des Psychanalyse», in *International Journal of Psychoanalysis*, vol. 6, 1925, p. 484-496.

ANZIEU (D.), «Éléments d'une théorie de l'interprétation", in *Revue française de psychanalyse*, 1970.

3. ARLOW (J. A.), «Formation des symptômes et formation du caractère» (resumo da discussão), in *Revue française de psychanalyse*, 1966.

BALINT (M.), *Amour primaire et Technique psychanalytique*, Payot, 1972, chap. XVI et XVII, p. 237 *sq.*

BARANDE (I.), «Les préambules à l' interprétation surprise"», in *Revue française de psychanalyse*, 5/6, 1970.

4. BASCH (M.-F.), «Psychoanalytic interpretation and cognitive transformation», in *International Journal of Psychoanalysis*, 1981, 62, p. 151.

BENASSY (M.), «Notes pour une conférence sur la théorie du transfert», in *Revue française de psychanalyse*, 1959, p. 358 *sq.*

—— «Fantasme et réalité dans le transfert», in *Revue française de psychanalyse*, 1959, vol. XXIII, n.° 5, p. 619.

5. BERGLER (J.) & JECKELS (L.), «Übertragung und Liebe», in *Imago*, 1934.
6. BIBRING (E.) & LEHNER (G.), «Zum Thema des Übertragungswiederstandes», *International Żeitung für Psychoanalyse*, 1935, n.° 21, p. 55-61.
7. BIRD (B.), «Notes on transference», in *Journal of American Psychoanalytic Association*, 1972, 20, p. 267-301.
8. BLOMFIELD (O. H. D.), «Interpretation, some general aspects», in *International Review of Psychoanalysis*, 1982, 9, p. 287.
9. BLUM (H. P.), «The position and value of extratransference interpretation», in *Journal of American Psychoanalytic Association*, 1983.

9. *bis* —— «The concept of erotized transference», in *Journal of American Psychoanalytic Association*, 1973, XXI, n.° I, p. 61.

BOUVET (M.), MARTY (P.) & SAUGUET (H.), «Transfert, contre–transfert et réalité», in *Revue française de psychanalyse,* XXX.

BRAUNSCHWEIG (D.) & FAIN (M.), «Symptôme névrotique et de transfert», in *Revue française de psychanalyse,* 1983, XLVII.

10. BRENNER (C.), «Some comments on technical precepts in psychoanalysis», in *Journal of American Psychoanalytic Association,* 1969, XVII, p. 333-352.

BROCKBANK (R.), «On the analyst's silence in psychoanalysis», in *International Journal of Psychoanalysis,* 1970, n.° 51, p. 457–564.

11. CALEF (V.), «On the current concept of transference», in *Journal of American Psychoanalytic Association,* 1971, n.° 19, p. 22–25.

CHILAND (C.), «Le statut du fantasme chez Freud», in *Revue française de psychanalyse,* 1971, IV.

«Colloque sur l'interprétation», in *Revue française de psychanalyse,* 1970, n.° 24.

«Colloque sur l'interprétation», in *Revue française de psychanalyse,* 1962, n.° 26, p. 5.

«Congrès sur le transfert», in *Revue française de psychanalyse,* 1952, t. XVI, n.° 1–2.

«Variantes de la technique psychanalytique», XX° congresso da API, Paris, 1957; *cf. International Journal of Psychoanalysis,* 39.

DEAN (E. S.), «Drowsiness as a symptoma of counter–transference», in *The Psychoanalytic Quarterly,* 1957, n.° 26, p. 246.

DEUTSCH (F.), «A footnote to Freud's "Fragment of an analysis of a case of hysteria"», in *The Psychoanalytic Quarterly,* 1957.

DUJARIER (L.), «Compulsion de répétition dans l'oeuvre de Freud», in *Revue française de psychanalyse,* 1970.

12. FARREL (D.), «Freud's "Thought–transference" regression and the future of psychoanalysis», in *International Journal of psychoanalysis,* 1983, 64, p. 71.

13. de FOREST (I.), «The therapeutic technic of Sandor Ferenczi», in *International Journal of Psychoanalysis,* 1942, n.° 23, p. 120.

GASKILL (H. S.), «The closing phase of the psychoanalytic treatment. —— The myth of perfectibility», in *International Journal of Psychoanalysis,* 1980, n.° 61, p. 11.

14. GILL (M. M.), *Analysis of Transference,* 2 vol., New York, IUP, 1982.

15. GILL (M. M.) & MUSLIN (H. L.), «Early interpretation of transference», in *Journal of American Psychoanalytic Association,* 1976, p. 779–794.

16. —— «Transference in the Dora case», in *Journal of American Psychoanalytic Association,* 1978, 26.

GOLDBERG (L.), «Remark on transference and counter–transference in psychotic states», in *International Journal of Psychoanalysis,* 1979, 60, p. 347.

GREEN (A.), «Le silence du psychanalyste», in *Topique,* 1979, n.° 23, p. 5–25.

—— «Répétition, différence, replication", in *Revue française de psychanalyse,* 1970.

17. GREENSON (R. R.), «The working alliance and the transference neurosis», in *The Psychoanalytic Quarterly,* 1965, 34, p. 155–181.

17. *bis* —— *Technique et Pratique de la psychanalyse,* PUF, 1977.

18. HEIMANN (P.), "Dynamics of transference interpretations», in *International Journal of Psychoanalysis,* 1956, 37, p. 303–310.

18. *bis* —— «Opening remark to a discussion of the non-transference relationship in the psychoanalytic situation», in *International Journal of Psychoanalysis,* 1970, 51, p. 145–147.

GRINBERG (L.), «The search for truth about one's self», in *International Journal of Psychoanalysis,* 1980, 61, p.. 25 *sq.*

19. HURN (H. T.), Toward a paradigm of the terminal phase», in *Journal of American Psychoanalytic Association,* 1971, XIX, n.º 2, p. 332.

—— «On the fate of transference after the termination of analysis», in *Journal of American Psychoanalytic Association,* 1973, XXI, n.º 1, p. 182.

20. JOSEPH (B.), «On understanding and not understanding: some technical issues», in *International Journal of Psychoanalysis,* 1983, 64, 291.

JOSEPH (E. D.), «Clinical issues in psychoanalysis», in *International Journal of Psychoanalysis,* 1980, 61, 1.

21. JOSEPH (E. D.) & WIDLÖCHER (D.), *l'Identité du psychanalyste,* PUF, 1979.

KARME (L.), «The analysis of a male patient by a female analyst — Problem of the negative oedipal transference", in *International Journal of Psychoanalysis,* 1979, 60, 253.

KING (P.), «Curative factors in psychoanalysis», in *International Journal of Psychoanalysis,* 1962, 43, p. 225–227.

KLEIN (M.), «The origins of transference», in *International Journal of Psychoanalysis,* 1952, 33, p. 433–438.

KRON (R. E.), «Psychoanalytic complication of a narcissic transference», in *Journal of American Psychoanalytic Association,* 1971, XIX, n.º 4, p. 636.

22. LAFORGUE (R.), «Technique psychanalytique active et volonté de guérir», in *Revue française de psychanalyse,* 1929, III, p. 464.

—— «Résistance du malade à la fin du transfert analytique», in *Revue française de psychanalyse,* 1933, VI, p. 344.

LAPLANCHE (J.) & PONTALIS (J.-B.), «Fantasme des origines et origine du fantasme», in *International Journal of Psychoanalysis,* 1968, 49.

23. LANDAUER (K.), «"Passive" Technik zur Analyse narzistischer Erkrankungen», in *International Zeitung für Psychoanalyse,* 1924, 10, p. 415–422.

24. LEACH (D.), «Technical aspects of transference», in *Journal of American Psychoanalytic Association,* 1958, 6, p. 560–566.

25. LEITES (N.), «Transference interpretation only?», in *International Journal of Psychoanalysis,* 1977, 58, p. 275–287.

26. LIMENTANI (A.), «On some positive aspects of the negative therapeutic reaction», in *International Journal of Psychoanalysis,* 1981, 62, p. 379 *sq.*

27. LIPTON (D. S.), «Clinical observation on resistance of the transference», in *International Journal of Psychoanalysis,* 1977, 58, p. 463.

LITTLE (M.), «La réponse totale de l'analyste aux besoins de son patient», in *International Journal of Psychoanalysis,* 1957, 38, III–IV.

LOEWENSTEIN (R.), «Remarques sur le tact dans la technique psychanalytique», in *Revue française de psychanalyse,* 1930, IV, p. 266.

MACALPINE (I.), «Le développement du transfert», in *The Psychoanalytic Quarterly,* 1950, XIX, p. 501–539; — trad. franc. in *Revue française de psychanalyse,* XXXVI, 72, n.º 3.

28. MC LAUGHLIN (J. T.), «Transference, psychic reality and counter-transference», in *The Psychoanalytic Quarterly,* 1981, L.

29. MAGUIRE (J. G.), «Empirism, the transference neurosis, and the function of the self object», in *Annual of Psychoanalysis,* 1980, VIII, p. 83.

—— «The transference anactement of early body-image determinants», in *Annual of Psychoanalysis,* 1978, VI, p. 181.

MONEY-KYRLE (R. E.), «Normal counter-transference and so its deviations», in *International Journal of Psychoanalysis,* 1955.

NACHT (S.), «Réflexions sur le transfert et le contre-transfert», in *Revue française de psychanalyse,* 1949, III, n.º 3, p. 367.

—— «La névrose de transfert et son maniement technique», in *Revue française de psychanalyse,* 1958, XXII, n.º 6, p. 675.

30. NEYRAUT (M.), *le Transfert,* Paris, PUF, 1979.

31. NIRMANN (H. F.), BLACKER (K. H.), OREMBAND (J. D.) & BARRET (W. G.), «The fate of the transference neurosis after termination of a satisfactory analysis», in *Journal of American Psychoanalytic Association,* 24, p. 471-498.

32. NUNBERG (H.), «Transference and reality», in *International Journal of Psychoanalysis,* 1951, 32, p. 1-9.

32. *bis* —— «Probleme der Therapie», in *International Zeitung für Psychoanalyse,* 1928, 14, p. 441-457.

32. *ter* —— «Über der Genesungwunsch», in *International Zeitung für Psychoanalyse,* 1925, 11, p. 179-183.

33. OLINICK (S. L.), «Meanings beyond words: psychoanalytic perceptions of silence and communication, happiness, sexual love and death», in *International Revue of Psychoanalysis,* 1982, 9, p. 461.

34. RACKER (H.), *Transference and Counter-transference,* London, Manesfiel Reprint, 1968.

REICH (A.), «Sur le contre-transfert», in *International Journal of Psychoanalysis,* 1951, 32, p. 25-31.

REICH (W.), «Zur Kritik der Deutung und der Widerstandsanalyse», in *International Zeitung für Psychoanalyse,* 1927, XIII, p. 141-159; —— trad. franc. in *Revue française de psychanalyse,* 1927, 1, p. 759-763.

ROSOLATO (G.), «L'analyse des résistances», in *Nouvelle Revue de Psychanalyse,* 1979, n.º 20, p. 183.

36. ROTHSTEIN (A.), «Interpretation: Toward a contemporary understanding of the term», in *Journal of American Psychoanalytic Association,* 1983, 31, n.º 1, p. 237 *sq.*

37. RYCROFT (C.), «Beyond the reality principle», in *International Journal of Psychoanalysis,* 1962, 43, p. 388-394.

38. SANDLER (J.), «Reflections on some relations between psychoanalytic concepts and psychoanalytic practise», in *International Journal of Psychoanalysis,* 1983, 64, p. 35.

—— «Counter-transference and role-responsiveness», in *International Revue of Psychoanalysis,* 1976, 3, p. 43.

SHANE (M.), «The developmental approach to "working through" in the analytic process», in *International Journal of Psychoanalysis,* 1979, 60. p. 375.

SEDLER (M. J.), «Freud's concept of working through», in *The Psychoanalytic Quarterly,* 1983, LII.

SEGAL (H.), *Introduction à l'oeuvre de Mélanie Klein,* Paris, PUF, 1969.

SOKOLNICKA (E.), «Quelques problèmes de la technique psychanalytique», in *Revue française de psychanalyse,* 1929, II, p. 1 *sq.*

SPENCE (D. P.), «Narrative truth and theoretical truth», in *The Psychoanalytic Quarterly,* 1982, LI.

39. STECKEL (W.), «Les diverses formes de transfert», in *Zentralblatt,* II, p. 26.

STEIN (C.), «Transfert et contretransfert ou le masochisme dans l'économie de la situation analytique», in *Revue française de psychanalyse,* 1966, 30, p. 177.

40. STERBA (R.), «Zur Theorie der Übertragung», in *Imago,* 1936, 22, p. 456–470.

—— «Über latente negative Übertragung», in *International Zeitung für Psychoanalyse,* 1927, 13, p. 160–165; —— trad. franc. in *Revue française de psychanalyse,* 1927, I, p. 762–763.

41. STONE (L.), «Some thoughts on the "here and now" in psychoanalytic technique and process», in *The Psychoanalytic Quarterly,* 1981, L.

STRACHEY (J.), «La nature de l'action thérapeutique de la psychanalyse», in *International Journal of Psychoanalysis,* 1934, 15, p. 127–159; —— trad. franc. in *Revue française de psychanalyse,* 1970.

THOMPSON (C.), «The therapeutic technique of Sandor Ferenczi: A comment», in *International Journal of Psychoanalysis,* 1943, 24, p. 64–66.

WEINSHEL (E. M.), «The transference neurosis: a survey of the literature», in *Journal of American Psychoanalytic Association,* 1971, 19.

O pai, sua função na psicanálise

"Não vês que estou ardendo?" Em diversas passagens de seu Seminário Lacan retomou e comentou, para seus alunos, este sonho que abre o capítulo VII da *Interpretação dos sonhos*. Esta promoção fez do sonho um sucesso junto aos analistas de língua francesa. Em sua concisão dramática, esse "pequeno sonho" guarda intacto seu misterioso poder de evocação.

Um pai sonha. Sonha que seu filho o chama. Mas o pai, posto que sonha, está inconsciente; e o filho que lhe dirige esse grito está morto. Serão necessárias estas duas condições para que, da criança a seu genitor, a palavra cumpra sua função sem perder-se pelo caminho? Será preciso que um pai permaneça inconsciente para não ficar surdo aos apelos de quem lançou à vida, como se dissséssemos lançar alguém aos leões? Será preciso que um filho esteja morto para poder lembrar a seu pai que ele é apenas um aval da dívida que, de um a outro, deve ser transmitida? Será preciso, enfim, o inconsciente de um e a morte do outro para que digam entre si que o desejo é uma queimadura imprevisível e a morte, uma aspiração culpada?

Conhecemos a tese da *Interpretação dos sonhos*: o sonho é a realização de um desejo. Sabemos também que, entre os desejos de todo sujeito, há um que prevalece por sua função estruturante: aquele que anuncia a morte do pai. Por que então abrir este último capítulo com um sonho tão pouco coincidente com a ortodoxia edípica?

Devemos ver nisso uma ironia de Freud, que nas páginas seguintes reconduz o desejo à sua mais banal cotidianeidade — isto é, ao de dormir? Podemos descobrir aí a conseqüência da teoria edípica ainda inacabada, que só se afirmará em sua universalidade dez anos depois? Tenderíamos antes à recusa de Freud a fechar com excessiva rapidez a questão do pai.

"O que é um pai?" será mantido por Freud até o fim de sua vida como um enigma tão impenetrável quanto a outra pergunta freudiana: "Que quer a mulher?". Caso contrário, a que se deveria sua hesitação em rejeitar a figura do pai sedutor, ou sua retomada, com Moisés, do mito do pai primitivo, ou ainda seu reconhecido embaraço para determinar o manejo da instância paterna na interpretação e na transferência?

Esta afirmação poderia causar surpresa, pois parece já estar admitido entre os analistas que Freud resolve a questão do pai ao pôr um ponto final à teoria generalizada do Édipo. Por esta razão, inclusive, alguns de seus alunos julgaram que a questão já estava regulamentada e voltaram-se para novos horizontes — a mãe, por exemplo. Explica-se assim a importância que Lacan deu, no início de seu ensino e do retorno a Freud que o caracterizou, à questão do pai e à evocação da magnitude e da função que ela tem na doutrina freudiana.

Em outras palavras, confirmar a função edípica do pai parece ter sido, para o movimento analítico, uma forma de diminuir sua importância e, ainda mais, de recalcar o questionamento freudiano pelo qual essa função bem poderia não ter sido, para o próprio Freud, uma resposta conclusiva.

É este questionamento, freudiano portanto, que iremos retomar em primeiro lugar.

I — MORTE DE UM HERÓI

Qualquer reflexão sobre o problema do pai na psicanálise encontra uma primeira dificuldade. De que se fala, efetivamente, ou de quem?

Afinal, Freud mostrou que todo analisante é primeiro filho ou filha. No discurso associativo a palavra "pai" é um significante como qualquer outro, cuja significação está ligada ao significante que o precede. O analista pode tentar "imaginar" o que é (ou era) o pai do sujeito, ou o sujeito "como" pai — o que imagina é de sua lavra, sem outras fontes a não ser a palavra do analisante.

Isto parece ser admitido pelo conjunto dos analistas, pois o uso que fazem desse termo permanece habitualmente referido à situação edípica, e com mais freqüência quando reencontram suas coordenadas nos momentos da transferência ou nas buscas da repetição.

É preciso indicar, no entanto, que tal consenso se vê rompido em alguns trabalhos relativos quer à psicanálise com crianças ou adolescentes, quer a práticas marginais à psicanálise: grupo ou terapia familiar. Nestes casos, o pai é promovido à categoria de "pessoa", se não de sujeito. Embora ganhe assim uma autonomia, esta é ambígua, pois nem sempre se sabe em que momento deixou-se o material associativo — quando existe — para penetrar no domínio da pesquisa sociopsiquiátrica. De qualquer maneira, o resultado oferece uma série de retratos — mais do que "casos" — que corresponde perfeitamente à enumeração das figuras do pai proposta por Lacan nas páginas 578 e 579 de seus *Écrits*.

Assim, Marjorie R. Leonard, a partir do estudo agrupado de sete casos, examina a incidência do pai no desenvolvimento sexual desses adolescentes. Do pai ausente ao pai possessivo, passando pelo pai sedutor, mesmo que a referência constante continue sendo o Édipo, o autor tem que admitir a dificuldade de relacionar a *oedipal reality* (?) com a clínica, particularmente quando se trata da famosa substituição do pai por *a love-object who satisfied her unconscious oedipal wishes* (p. 333). Será que o pai escaparia às estatísticas ("Fathers and Daughters", *IJP,* 1966, t. 47, p. 325)?

Ernest L. Abelin, em trabalho provavelmente inspirado em M. Mahler, afirma — sem dúvida "cientificamente" — que o pai é um objeto relacional precoce (só existe a mãe) e que, também precocemente, é percebido pela criança como marido desta última — portanto, dedução evidente para o autor, como um rival. Quem acreditaria nisto? Em todo caso, os leitores de Freud ("Some Further Observations and Comments on the Earliest Role of the Father", *IJP,* 1975, t. 56, p. 293).

Quando se enfatiza o incesto, como poderíamos esperar, a realidade deste não traz modificações significativas ao quadro clínico (Julien Bigras, "Le sens moral et le masochisme dans l'inceste père-fille", *Interprétation,* 1967, t. I, p. 35).

Freud, como sabemos, não começou de maneira diversa; curiosamente, os autores contemporâneos retomam a mesma trajetória e chocam-se contra os mesmos obstáculos: houve ou não "consumação" do ato, e a que idade? Quem é, nesse par, sedutor? Enfim, qual é a incidência desses elementos no futuro do sujeito? Todos recordam a famosa equação que Freud escrevia a Fliess: "a cada pai perverso, uma filha histérica". Como não surpreender-se com a persistência, nos analistas, dessas pesquisas sobre a "perversão" do pai, que vêm desde o nascimento da psicanálise?

Nosso propósito não é certamente retomar aqui a história dos começos da teoria analítica. Digamos simplesmente o seguinte: quando a histérica conta sua cena de sedução, Freud em um primeiro tempo crê nela, e depois substitui essa crença pelo fantasma, em um segundo tempo. Tal substituição sublinha outra vez o apego que Freud sempre demonstrou à cena de sedução, o que dá ocasião para três observações.

Primeiro, o apoio do pai impõe-se a Freud para dar conta da irrupção do desejo no mundo do sujeito. Pode-se mesmo dizer que o pai é quem tem a função de abrir para o sujeito o acesso ao desejo. A regulação da trama edípica constitui, para Freud, a ilustração desta introdução.

Depois, a hesitação, e mesmo o pesar de Freud em abandonar a primeira teoria da sedução, pode ser explicada através da seguinte pergunta: de onde vem o desejo, qual é a sua causa? O pai está lá, no momento oportuno, para encarnar a heteronomia do desejo. Freud, a partir daí, admite implicitamente que não é aquilo que se deseja, o objeto desejado, que faz com que o sujeito deseje. A vantagem da cena de sedução quanto a isso é que o pai não entra aí como objeto de desejo, mas como desejo puro, encarnação do desejo. Daí seu efeito traumático. Veremos também aqui como Freud conserva no pai sua função traumática; não quando faz dele agente da castração, mas quando acrescenta ao conjunto dos pais um pai de exceção — o pai primitivo, mítico e irreal.

Enfim, é por essa passagem da teoria da sedução à teoria do fantasma que se introduz na psicanálise a dimensão da verdade. Retomaremos esta observação tentando esclarecer o papel que o pai desempenha nesta introdução.

Pequena lembrança sobre o Édipo

Freud instala o pai no centro do complexo de Édipo. É aquele que abre as portas do complexo para o sujeito e ao mesmo tempo detém a chave de sua saída. Quer se trate de avançar com o apoio das identificações das quais é suporte, ou de desprender-se dele com o endosso de seu assassinato; quer se trate de assinalar para o sujeito o que deve ser objeto de sua cobiça, a mãe, e de manter este objeto como desejável ao marcá-lo com uma proibição; quer se trate, enfim, de garantir o nome das coisas, as do sexo em particular, assim como de seu uso, e de responder por sua falta e sua privação; todas estas operações, que constituem o drama edípico, necessitam do pai no papel de agente, testemunha, juiz, parceiro e até de comparsa.

As funções a cargo do pai são múltiplas tanto quanto díspares. Após haver eliminado, mesmo a contragosto, a função de sedutor, Freud as vai descobrindo uma a uma. Objeto de amor para Dora, fantasma para o Homem dos Ratos, tirano priápico para o Homem dos Lobos, censor tímido e hesitante para o pequeno Hans, que tem que totemizá-lo, *voyeur* repressivo para a jovem homossexual. Inútil prosseguir o inventário — o pai está presente em cada recanto do Édipo, seja qual for o seu disfarce.

Essa ubiqüidade nada tem de espantosa: o pai não é uma pessoa, nem um sujeito, mas apenas um ponto de ancoragem para o material associativo. Um pouco de clareza, contudo, e mesmo de razão, talvez permitissem fazer desta lista heteróclita uma série na qual, ao findar, alguma coisa do pai poderia ser captada em sua função mais essencial. Freud não decide, somente mantém dois pontos fixos: a entrada no Édipo é desencadeada pelo pai, desencadeamento que é sucessivamente denominado obstáculo, detenção, interdição, ameaça, dirigidos tanto à mãe quanto à masturbação. A saída do Édipo, seu "declínio", tem uma única significação: a morte do pai, ou, mais precisamente, a entrada em cena do "pai morto" — que deveria ser escrito em uma só palavra, tal a maneira pela qual este personagem parece juntar, unificar, sintetizar e concluir o *bri-à-brac* do labirinto edípico.

O Édipo exerce assim seu ofício de ser uma aparelhagem que permite ao sujeito integrar as pulsões parciais, por um lado, e a sexualidade, por outro, à dialética do desejo (*Seminário XI,* p. 161). O pai é concebido por Freud como a engrenagem essencial desta aparelhagem. Como toda maquinária, esta não carece de perda, que é chamada por Freud de castração e escrita por Lacan como $-\varphi$. Tal perda é perda de gozo, imposta ao ser humano como contrapartida de sua entrada no campo da palavra. Estes pontos parecerão bem conhecidos ao leitor dos *Écrits,* pois a leitura ordenada do Édipo freudiano é uma das primeiras contribuições do ensino de Lacan.

Sabemos também que Lacan propôs uma sorte de classificação das múltiplas funções edípicas do pai, dividindo-as a partir dos três registros: real, simbólico e imaginário.

Através deste ordenamento, por outro lado, chega-se à evidência de um ponto que constitui um problema para Freud, pois explica seu arrependimento quanto à teoria da sedução. Digamo-lo simplesmente: de onde vem a ameaça, de quê ponto do "real", externo ao sujeito, é proferida a interdição? Freud vacila. Por exemplo: quando é tentado a aconselhar aos pais, em um primeiro movimento, liberalidade quanto à masturbação, para logo depois reconhecer que isso importa pouco. Recorre então a comparações anatômicas, resultados das investigações da criança entre irmão e irmã, ou sobre os animais. Mas também aqui é para atenuar rapidamente a eficácia das investigações quanto ao saber sobre a diferença entre os sexos, pois a menina, por exemplo, pode acreditar por muito tempo que seu clitóris pode se transformar em um pênis. Aqui também se impõe o recurso ao fantasma, pois é nesse registro que o sujeito pode imaginar o real. Mas é preciso admitir que o Outro sedutor era extremamente cômodo.

Em Lacan, a mesma hesitação. Claro, a função central do pai simbólico é enlaçar o sujeito à Lei enquanto sujeito do desejo (*Écrits*, p. 556). No entanto, qual será nessa articulação o lugar da interdição, se admitirmos que a significação da Lei é a interdição que pesa sobre a mãe? A Lei será a condição do desejo, ou é o desejo que necessita da Lei para marcar seu limite? É em um aquém ou em um além da Lei que o desejo se funda? Retomaremos estas perguntas, que se dirigem à consistência do Outro. Lembremos apenas que Lacan designa o agente da castração — pois é dela que se trata — não no pai simbólico, que sustenta no Outro seu estatuto e sua consistência, mas no pai real, que tem características completamente diversas.

Tais características, do real, portanto, Freud vai encontrá-las no mito. Sendo o irreal do mito o que permite ao homem articular aquilo que lhe escapa do real (Lacan, *Seminário XI*, p. 187).

O pai-o-gozo

Que necessidade obrigou Freud a inventar o único mito verdadeiramente moderno, como lembra Lacan, o do pai primitivo, o *Urvater*?

As explicações atuais nos parecem pouco convincentes. Freud teria tido a preocupação de reforçar sua generalização do Édipo somando argumentos etnológicos aos que a experiência analítica fornecera.

Não é bem isso o que ele próprio anuncia, por exemplo, no prefácio de *Totem e tabu*. Indica mesmo o encaminhamento inverso: a descoberta do Édipo, a partir da experiência analítica, permite esclarecer certos fatos etnológicos. Sabemos, por outro lado, a importância que dava às lições da clínica, afirmando que um só caso que contradissesse a teoria autorizava o analista a jogá-la às urtigas.

Proponhamos outra leitura para o *Urvater*. Quando Freud tem que convir que a cena de sedução era um fantasma histérico, descobre a própria estrutura do desejo na dialética que se enlaça entre o sujeito e o Outro. Ou seja: o sujeito sustenta e enuncia seu próprio desejo em uma *mise-en-scène* onde é o Outro quem fica a cargo dessa enunciação. A cena de sedução torna evidente a fórmula de Lacan segundo a qual o desejo é o desejo do Outro.

A presença do pai indica apenas que, na histérica, o que conta é o desejo do pai — mais precisamente, para ela não há desejo a não ser o do pai.

Em outras palavras, a substituição da cena de sedução pelo fantasma modifica a função paterna. O pai não pode mais ser concebido como o elemento traumático, iniciador, "genitor", quer dizer, causal do desejo. Torna-se parceiro de sua dialética. O pai vem a ocupar a vertente do Outro do desejo, não podendo ter outra função senão a de reenviar ao sujeito seu próprio enunciado. Assim, o abandono da teoria da sedução faz do pai a formação essencial do inconsciente — especialmente o da histérica; mas Freud também constitui o totem da mesma maneira, aí inspirado por Hans.

O pai, como depois, por outro lado, o objeto sexual tal como é fundado pelo Édipo, mostra assim que deve ser concebido como um retorno do recalcado, sendo esse recalcado o próprio desejo sexual.

Então, o que de mais certo se deduz da aplicação do Édipo aos dados etnográficos é a instalação da rede simbólica, que demonstra que "a atribuição da procriação ao pai só pode ser efeito de um puro significante, de um reconhecimento não do pai real, mas daquele que a religião nos ensinou a invocar como o Nome-do-Pai" (*Écrits,* p. 556).

Voltaremos, na segunda parte deste trabalho, ao "Nome-do-pai" tal como Lacan o denomina; aqui, nos atemos ao *Urvater*.

Totem e tabu desenvolve e interroga principalmente a rede significante, sendo introduzido o *Urvater* apenas no final do texto, e com certas precauções (Frazer, os grandes macacos de Darwin...). O recurso ao mito, à pré-história ou mesmo à filogênese não se impõe em absoluto, pois o sujeito da etnologia é tão presente e atual quanto o da psicanálise.

Entretanto, pelo fato de que o *Urvater* termina sendo morto pelos filhos, os analistas acreditaram encontrar aí o ancestre do pai edípico, o primeiro pai morto, e inclusive o primeiro pai do neurótico.

Esta vertente não se impunha aos primeiros alunos de Freud. O *Urvater,* como também, provavelmente, a própria publicação de *Totem e Tabu,* parece ter suscitado um certo número de trabalhos, só acessíveis parcialmente.

Géza Roheim percebe de imediato que é muito apressado confundir a morte do *Urvater* e o que se segue a ela com os anseios de morte do neurótico. A partir de ilustrações extraídas da mitologia egípcia e da etnologia, ele constata uma série de fatos clínicos cujo conteúdo pulsional trata de desenvolver. É notória a referência a "Além do princípio do prazer" (p. 87). A partir disso, tais fatos não lhe parecem aptos a serem reduzidos a uma simples conseqüência da rivalidade do filho com o pai. ("Nach dem Tode des Urvaters", *Imago,* 1923, t. 9, p. 83).

É nesse mesmo sentido que Alice Balint, na mesma época, tenta distinguir o *Urvater* da imago do pai, por um lado, e do pai ideal, por outro. ("Der Familienvater", *Imago,* 1926, t. 12, p. 292).

O pai que no Édipo assume a essencial função simbólica que vimos é o pai morto. Por estar morto, é equivalente a um "puro significante". Isto significa que, para o sujeito, ele está *já* morto, pois que já é, desde sempre, puro significante.

Desse ponto de vista, o voto de morte que o neurótico formula a respeito do pai não é a individualização de um mito coletivo, assim como "o assassinato do pai" tampouco é o meio pelo qual o sujeito "simbolizaria" o pai real. A resistência que o analisante tem para confessar este voto de morte depende de seu desejo de manter o pai em seu lugar. O assassinato do pai continua sendo um fantasma: o da existência do pai. Esta recusa do simbólico dá seu sentido ao pai rival ou, melhor ainda, ao sentimento de culpabilidade, tão bem ilustrado pelo Homem dos ratos.

O sujeito, filho ou filha, sustenta o pai porque este é o endereço privilegiado aonde dirige suas perguntas. O pai do *infans* revela-se como o esconderijo do saber do qual o sujeito se imagina separado, e mesmo excluído. Ora, do pai morto não cabe esperar resposta alguma. O pai morto é a marca de uma falta, de uma falta do Outro, especialmente de uma falta de saber. Por isso, o pai é tão freqüentemente imaginado com os traços do educador ou do iniciador.

A única resposta que retorna ao sujeito quando interroga o pai morto é a castração, isto é, uma falta de gozo. Esta falta, que acompanha a revelação do pai morto, precede qualquer interdição. A interdição intervém para fazer desejar, pois deixa uma esperança — e pode mesmo justificar que o sujeito deseje em vão.

O neurótico constrói seu fantasma sobre essa não-resposta radical, produzindo uma figura do pai propícia a seu desejo.

O mito é outra coisa. Freud aqui tenta aproximar-se do pai como real, e daí deduzir um conceito utilizável na clínica, quer dizer, no que diz o analisante. Ora, a palavra do analisante se refere sempre a um pai fenomênico — que não é o pai mítico.

O *Urvater* é um pai identificado propriamente ao gozo e, por isso mesmo, fora da lei. Não é um pai que cumpriria seus desejos, que faria do gozo uma regra de vida — o gozo, pelo contrário, é para ele uma coerção absoluta. Sua própria existência depende inteiramente da obediência a essa coerção.

Por esse ponto real, Freud ancora o desejo fora da dialética que o sujeito do significante pactua com o Outro. Basta lembrar o acosso ao Homem dos lobos, para quem a cena primitiva equivale à cena de sedução. Que significa esse encarniçamento, senão a exigência, em Freud, de encontrar esse ponto de ancoragem para além da tela do fantasma?

Apenas dissociando, e mesmo contrapondo o pai originário ao pai edípico é que pode-se esclarecer a presença do pai tanto na constituição do super-eu como no bom desdobramento da trama edípica — até em sua "herança" (Serge Cottet, *Freud e o desejo do psicanalista,* p. 124, Jorge Zahar Editor).

O ano de trabalho coletivo — no contexto da Seção clínica — sobre o tema do super-eu conseguiu vencer essa dificuldade, que é um dos pontos em jogo na "virada dos anos 20". O super-eu não é de modo algum o regulador do desejo. É inclusive, pelo contrário, o dispositivo de submetimento do sujeito ao imperativo do gozo. Não é em absoluto a "introjeção" da Lei, mas, inversamente, a aspiração, por esse imperativo, do sujeito reduzido a seu *fading*. Por isso Lacan pode formalizar o super-eu com o equívoco entre *jouis* (goza) e *j'ouis* (ouço).

Desse ponto de vista, o super-eu aparece como a estrutura contrastada, em negativo, da estrutura edípica. Para Freud estas duas estruturas são constitutivas do desejo. A primeira, de sua origem; a segunda, de sua meta. Com esse giro, Freud pode vincular a função paterna ao registro pulsional, o que é indicado com clareza quando descreve o primeiro tipo de identificação, por incorporação. Assim, o fato de que o pai se confunda às vezes, em certo momento da clínica, do mito ou da história, com a "figura obscena e feroz" do super-eu nada tem de surpreendente — desde que nos lembremos que esta palavra pai é também o nome de um gozo. Embora a lei funde o desejo sobre uma falta em gozar — a castração —, ela continua sendo o eco de um gozo, fora da lei.

Isto talvez permita apreender por que Lacan começou seu seminário interrompido — o dos *Nomes-do-pai* — evocando o sacrifício de Abraão.

Atendo-nos ao mesmo Deus, encontraremos uma localização surpreendentemente perspicaz dessa oposição entre o pai-o-gozo e o pai-edípico sob os traços contrastados de Moisés e Aarão, compadres mais que rivais, da ópera de Schönberg.

Nessa corda estendida entre desejo e gozo caminha o herói. Como também a chave da ética (ver "Kant com Sade", *Écrits,* p. 765). Questão que agita, aqui e acolá, alguns analistas: Harold Feldman ("How We Create 'Fathers' and Make them 'Sons' ", *American Imago,* 1955, t. 12, p. 71); Jean-Marie Apostolides ("Images du père et peur du tyran au XVIIe siècle", *R.F.P.*, 1980, t. 44, p. 5); Fritz Morgenthaler ("Père et fils: histoire d'un cas clinique", *Psyché,* 1952, t. 7, p. 67); Léonard Shengold ("Chekov and Schreber: Vicinitudes of a Certain Kind of Father-son relationship", *IJP,* 1961, t. 42, p. 431).

Nesse mesmo registro poderia ser interrogada a figura de Leopold Mozart, pai de Wolfgang Amadeus. Pode-se imaginar pior gestão de um patrimônio — no entanto logo avaliado com correção —, estratégia mais pobre de promoção e exploração de um capital rapidamente notório? Precipitação? Inconseqüência? Ou antes dilapidação de um bem cujo agente certamente não teria a robustez das heroínas sadianas? É claro que o filho tirou partido disso — para nossa felicidade como melômanos. Nada de cálculo cotidiano, gozo a todo vapor, diriam. Talvez possamos encontrar aqui a explicação do estranho conteúdo — chamemo-lo pulsional — da correspondência do filho, que denota uma espécie de "idiotia", como se viu extremamente bem no filme *Amadeus,* de Milos Forman. Do mesmo modo, temos que creditar a essa posição assumida pelo músico a contrapartida da idealização do pai. De Lucio Silla ao Sarastro de *A flauta mágica,* passando por Selim, do *O rapto do serralho,* todos são pais que preferem "reparar uma injustiça com boas ações" antes que "pagar o mal com o mal". Todos pais ideais que sabem muito bem fechar os olhos para os desejos dos filhos.

O pai mentiroso

A teoria do trauma justificava duas hipóteses: em primeiro lugar, a de que o recalque do acontecimento traumático constitui o elemento patogênico das neuroses. Segundo, a de que a virtude terapêutica da psicanálise reside na possibilidade de recobrar, "conscientemente", a lembrança do acontecimento. Estas duas hipóteses definem o sujeito — o analisante — como resultado de uma história que o tratamento visa restabelecer em sua continuidade.

As duas últimas proposições, pelo menos, serão mantidas por Freud até seus últimos textos. Habitualmente são admitidas como o princípio mesmo da teoria analítica. No entanto, é preciso reconhecer que é difícil mantê-las se questionamos, por um lado, o trauma, e, por outro, o trauma como sexual.

Uma vez desprovida de seu ponto de partida, o *acontecimento* como traumático, a própria lembrança só pode ser lembrança de uma lembrança, constituindo uma cadeia cujo ponto culminante — o sintoma — é identificado, mas cujo início é de difícil apreensão. De resto, é exatamente essa a dificuldade que Freud desenvolve, sem resolvê-la, no texto sobre a lembrança encobridora, e que retoma quase quarenta anos depois ("Construções em análise").

O deslocamento que se produz entre estes dois marcos é essencial para a prática analítica. O que Freud tenta obter de início, a partir da interpretação — aqui no sentido de deciframento do sintoma, do sonho e de outras formações do inconsciente —, é a restituição do automatismo recalcado. Desde que o acontecimento aí referido passa a pertencer ao registro do fantasma, aquilo que o deciframento obtém é da ordem da suposição, e se converte em uma construção. Não se trata mais de exatidão, mas de verdade. Por isso dizíamos que o abandono da teoria da sedução introduz a verdade no campo da psicanálise. Do trauma como causa, Freud passa à verdade como efeito.

Falta ainda salientar que não se trata simplesmente de substituir a exatidão pela verdade, ambas referentes à lembrança. A rememoração — chamada por Freud de *Erinnerung* — não é apenas a reconstituição da lembrança. Para isso, bastaria apelar para os testemunhos da infância, e sabemos que a tentação a tal recurso sempre decepciona os analisantes. O próprio sujeito reintegra a lembrança daquilo que é rememorado, mesmo que ela seja puramente fictícia, culminação unicamente lógica das cadeias significantes. É por isto que Lacan situa a verdade como ficção.

Não desenvolveremos aqui as conseqüências desse remanejamento teórico no que tange ao estatuto da interpretação. Detenhamo-nos somente no que concerne ao destino do pai na psicanálise.

Afinal, o papel que a teoria da sedução conferia ao pai era muito conveniente. O fato de o "autor dos dias" do sujeito ser o responsável pela transmissão do desejo sexual não traz objeções. A função paterna, para cada um, de seu nascimento à sua morte, é a referência primeira e organizadora de sua história. A história, aquela que se ensina nas escolas, poderia ser resumida em uma série de retratos de família — essencialmente, de pais.

Mas isto não se sustenta, a menos que se retire da sexualidade seu efeito traumático. Esta questão esclarece, por exemplo, a dificuldade, a hesitação e depois a insistência de Freud em estabelecer a anterioridade da castração com relação à angústia. Da mesma maneira, essa elisão da inerência traumática da sexualidade autorizou os psicanalistas da escola de Anna Freud a esperar uma maturidade genital. A redução do pai a mero pai edípico justifica perfeitamente a idéia de uma harmonia sexual, isto é, uma relação-proporção sexual.

O abandono da sedução certamente não permite mais deixar o acesso à sexualidade dependendo de circunstâncias factuais e contingentes. A função do pai pode tornar-se, assim, estrutural e portanto universalizável. O pai edípico detém a chave do acesso à sexualidade. Falta contudo explicar por que o preço dessa transmissão, a castração, é sempre exorbitante para o sujeito.

Freud sempre constata este recuo do sujeito, recuo diante do rochedo da castração, recuo diante da verdade que ela determina. Tal obstáculo bem poderia significar que a verdade, sob a autoridade do pai, a verdade "em nome do pai", revela-se impotente — digamo-lo — diante do chamado do gozo proibido pela castração. Se o pai edípico é o encarregado de transmitir ao sujeito a verdade de sua castração, esta, em contrapartida, está sujeita à caução.

O impasse que Freud reconhece em "Análise terminável e interminável" é proveniente do fato de que ele faz do pai o aval da verdade do sujeito.

II — O SIGNIFICANTE VIVO

Como dizíamos, o esquema que construímos sobre o Édipo tem sua base no ordenamento realizado por Lacan em seu movimento de retorno a Freud.

No entanto, vê-se claramente que tal simplificação deixa ainda um grande espaço para a anedota. Digamos, é uma referência ao familiarismo que abrigou o nascimento da psicanálise.

Não será surpresa encontrarmos — inclusive recentemente — trabalhos psicanalíticos que interrogam, com pesquisas e estatísticas, os efeitos desta ou daquela carência familiar. A contingência dos fatos observados não parece desanimar nossos autores, não mais que a possibilidade de reencontrar esses mesmos efeitos — nos neuróticos e a partir de sua cura — na ausência "observável" de tais carências.

A concepção dita genética da psicanálise, apesar desta simples constatação que deveria condená-la à nulidade, é insubmergível.

Desde 1960, entretanto, Lacan denunciava esse anacronismo da teoria analítica: "O Édipo não poderia manter-se indefinidamente em cartaz nas formas de sociedade onde se perde cada vez mais o sentido da tragédia" (*Écrits*, p. 813).

O Édipo foi promovido por Freud não como o molde ao qual todo sujeito em análise deveria se adaptar, mas como um mito. Um mito que aqui deve ser entendido como uma estrutura que trata de cingir o real, e onde devem demarcar-se os elementos de determinação, assim como de decisão do sujeito.

A família é certamente uma fonte inegável, embora de importância variável, do material das associações livres do analisante. Falta provar que semelhante material é necessário à análise de cada um. Seja qual for a prova, cada vez mais problemática, permanece a dificuldade em isolar o Édipo como estrutura do Édipo como história infantil, e até como historieta.

Para Freud, o Édipo tem uma finalidade precisa, e mesmo única: introduzir o sujeito na castração. Vimos que o pai, como "elemento" do Édipo, é o agente dessa introdução. É evidentemente aí que se trata de precisar a significação da palavra "pai" nesse lugar. Na historieta infantil do sujeito, todo psicanalista deve admitir que o pai pode ser qualquer pessoa. Assim como a mãe — que sofre, de resto, seus próprios avatares.

A partir dessa redução do Édipo a uma estrutura, impõe-se definir o pai como um significante.

Em primeiro lugar, simplesmente no nível da clínica. Tomar a palavra "pai" como significante equivale a unificar, sob uma única bandeira, o conjunto das significações evocadas pela palavra do analisante que surgem, nessa palavra, como atributos da própria palavra.

Porém, mais ainda: elevar esse significante à categoria de estrutura permite substituir essa palavra por toda a série de significantes que assumirão, para determinado sujeito, uma função idêntica. Assim fica parcialmente esclarecida a substituição, feita por Lacan, do Nome-do-Pai do *Seminário III* pelos "Nomes do Pai".

Tal função, como vimos, concerne à castração. Mais uma vez este termo pede para ser interrogado: tanto quanto o pai, nada tem a ver com historietas.

Sabe-se que Freud destaca múltiplas ilustrações disso. Desde a ameaça que condena a masturbação até a proibição que protege a mãe das intenções da criança, passando pela localização e o uso do pênis — o qual, por outro lado, brilha mais por sua ausência na menina do que sua decepcionante presença preenche seu ofício no menino —, todas são injunções do sujeito que ilustram aquilo que o psicanalista costuma chamar, depois de Freud, castração.

Duas observações permitirão precisar esse termo.

Primeira observação: essas injunções são intimadas ao sujeito por aquele que faz as vezes de Outro. Convenhamos que escrever este último com um A maiúsculo permite reunir vantajosamente o genitor e o educador que proferem a ameaça ou a proibição, a menina que revela sua privação do pênis, o menino que exibe o seu. Mas para além da reunião dessas figuras históricas e contingentes, o Outro permite designar o lugar onde essas injunções encontram sua significação.

Segunda observação: esta significação concerne à demanda de satisfação do sujeito. É inclusive uma resposta que limita tal satisfação, porém exatamente na medida em que a pergunta do sujeito revela ser, para ele, uma interrogação à satisfação sexual. Para Freud, embora o Édipo seja a passagem obrigatória pela qual o sujeito acede à dimensão do desejo, é preciso salientar que o desejo é desejo sexual. Por isto o falo é o centro do complexo de Édipo, cuja declinação se resume no reconhecimento da diferença entre os sexos e na escolha de um objeto do sexo oposto. Com isto ficam esclarecidas as dificuldades em conjugar o registro fálico com os registros pulsionais, cuja relação com a castração permanece incerta para Freud. Afinal, o kleinismo tem sua origem nesta incerteza.

Assim, a castração designa a produção, no campo do Outro, de uma significação que sanciona a satisfação ao denominá-la satisfação sexual, isto é, regulamentando-a segundo a problemática fálica, posto que o falo é o único representante do sexo no inconsciente.

Esta operação, pela qual o desejo do sujeito é interpretado — quer dizer, resolve-se na significação fálica —, é aquilo que Lacan chama de metáfora paterna.

O leitor nos perdoará essa lembrança, que pode parecer uma evidência ou uma leitura titubeante: o Nome-do-Pai, por ter-se tornado um gracejo da psicanálise — não apenas "lacaniana" — necessitava contudo este desvio.

Pois, por ser o agente da operação, o S_2 dessa metáfora, seu significante pede outros esclarecimentos e revela outras conseqüências.

Sabemos que o texto escrito de Lacan em que o significante do Nome-do-pai recebe sua definição é, dos *Écrits,* aquele que concerne à psicose — precisamente pelo fato de que nessa forma clínica do ser falante tal significante é "forcluído".

Isto não quer dizer, evidentemente, que o dicionário do psicótico careça da palavra "pai", mas que nenhum significante do Outro do psicótico pode "postular-se" a essa função de significante do Nome-do-Pai (com o que se justifica o termo jurídico forclusão).* Nenhum significante pode responder a este apelo do pai, que propõe ao sujeito falicizar sua satisfação. É por isto que o Outro do psicótico funciona admiravelmente bem. O sujeito — posto que aqui existe sujeito — movimenta-se muito à vontade no campo da linguagem. Tal desenvoltura é um meio de manter-se na superfície da existência, uma autoterapia, que os psiquiatras chamam de delírio. Wolfson, por exemplo, compreende isto muito bem, e o escreve. A despeito de sua classificação como esquizofrênico, ele se prende a uma rede de interpretações convenientemente sistemática, que ele próprio reconhece como terapêutica. De limite, entretanto, de regulação fálica para tal movimentação, não há rastros.

O psicótico tem livre acesso ao Outro, mas é um Outro onde não encontra qualquer lei adequada para delimitar, isto é, separar o gozo — que até agora chamamos de satisfação. Se este último termo, que traduz *Befriedigung*, é ligado à pulsão, a passagem para o termo gozo se justifica pela intervenção do Outro no trajeto pulsional.

Pois em sua abordagem dessa outra face de si mesmo que é o gozo, o sujeito, neurótico ou psicótico, deve passar pelo Outro.

O funcionamento do Nome-do-Pai como significante permite ao neurótico encontrar, nessa passagem, uma razão para seu gozo — uma lei — pela qual o gozo, por estar dividido por essa lei, autoriza o desejo.

É um enquadramento estrito do desejo que não carece de efeito de *pathos* para o neurótico mas que contrabalança a angústia ou a depressão que o chamado do gozo suscita nele. Em suma, o Outro que contém o Nome-do-Pai permite ao neurótico esperar a homeostase de seu desejo, veiculado de um significante a outro e significado de uma metáfora a outra.

Denominando Nome-do-Pai esse significante essencial para as relações do sujeito com a função da palavra e com os efeitos do significante, percebe-se o que Lacan extrai com essa escolha, se-

---

* *Forclusion*, como se sabe, é o termo jurídico que Lacan utilizou para denominar o mecanismo próprio das psicoses. Indica perda de um direito não exercido no prazo previsto. Seu equivalente em português é o vocábulo preclusão, que no entanto é preterido pelo galicismo (neológico) forclusão — ou bem *foraclusão* — nas traduções brasileiras por manter o sentido da etimologia latina original: *for–* (de *foris*, fora) e *–clusion* (de *claudo*, clausurar, fechar) — que exprime bem a exclusão, do sistema representacional do psicótico, do significante do Nome–do–Pai. (N.T.)

gundo seus próprios ditos, da religião — outro enquadramento, eficaz talvez, do desejo.

Mas surge uma questão nessa justaposição: o pai é invocado na religião porque esta, inversamente, implica — até prova em contrário — sua existência.

Ora, a dificuldade que encontramos na primeira parte deste trabalho para situar o pai ligava-se justamente à existência deste. Do que se fala, de que "coisa", quando dizemos a palavra "pai" no campo da psicanálise? Reparti-lo segundo os três registros, imaginário, simbólico e real clarifica o problema, mas só o resolve parcialmente. Para além do fenômeno, para além da série de predicados com os quais o ornamentam, para além mesmo da estrutura, o que é um pai continua obscuro.

O "Nome-do-Pai" nomeia o significante que sustenta o sujeito confrontado à castração. Qualquer significante pode cuidar do assunto, posto que todos se equivalem do ponto de vista do simbólico. Mas então como pode faltar — se admitirmos que é o caso — para o psicótico, ser falante, acessível em maior ou menor grau ao "senso comum"?

Poderia ser que Lacan, ao escolher semelhante nome, tratasse de lembrar-nos que sua resposta é do mesmo tipo da que é proposta pela religião — com a diferença, no campo psicanalítico, de que a resposta revela sua natureza de artifício. Iremos agora nos dedicar ao questionamento da natureza artificial do pai.

A psicanálise pode responder à pergunta acerca da natureza da existência do pai. Basta interrogar seu estatuto "metapsicológico", para utilizar um encaminhamento e um termo freudianos.

Formulando assim a pergunta, a resposta, situável em Freud no texto *Moisés e o monoteísmo* (Gallimard, p. 118), é dupla: ou bem o pai é um fantasma, ou bem um sintoma. O que vai decidir será sua passagem ou não pelo inconsciente.

Embora Freud abandone, como vimos, a teoria da sedução, mantém o pai no mesmo lugar — no fantasma. Quando estabelece o estatuto deste último, em "Uma criança é espancada", sabemos que a presença do pai vincula-se ao tempo do fantasma que não aparece no material associativo. Em outras palavras, a aparição do pai não está vinculada a um retorno do recalcado.

Mas, inversamente, quando se trata de estabelecer a função normativa do pai edípico, agente da castração, o recalque é constantemente invocado (por exemplo: "esse conteúdo [ser castrado pelo pai] foi recalcado", *Inibição, sintoma e angústia,* PUF, p. 27).

Em *Moisés e o monoteísmo* (Gallimard), Freud é ainda mais preciso. Não apenas interpreta o deus de Moisés como um retorno do recalcado do deus Jahvé (p. 95), mas vai, por "analogia", reconsiderar o trauma de modo a torná-lo compatível com a constituição do sintoma neurótico (p. 104). Se os "fenômenos religiosos" (p. 109) encontram aqui seu estatuto metapsicológico — e neurótico —, o pai como sintoma ocupa um lugar de peso.

Em *Moisés*..., precisamente, Freud se reconcilia com a teoria do trauma, que lhe parece necessária para situar o recalcado do qual o sintoma é retorno. No mesmo movimento, o pai edípico surge como retorno (sintoma) do recalcamento do pai original. Será esta a última resposta de Freud à sua pergunta "O que é um pai?"

Seja como for, a função desse pai "sintomático" consiste em encarnar a autoridade que impõe à renúncia pulsional (... *Triebverzicht* [...] *durch den Druck der den Vater ersetzenden, ihn fortsetzenden. Autorität, G.W.*, vol. XVI, p. 228).

A ligação com o pai primitivo é portanto renovada e, com isso, reaparece o gozo que ele designa. Freud reconhece que não explica de maneira satisfatória o que entende por "renúncia pulsional" (por exemplo, nenhum apoio é buscado na sublimação). Será esta a razão pela qual são feitas tão poucas referências nesse texto ao próprio Édipo, e tantas ao super-eu?

Reencontramos então a mesma dificuldade que aparecera no final da primeira parte. Entre o Édipo generalizado e Moisés, Freud descobre a pulsão de morte. Se o Édipo permite um acordo do sujeito com o princípio do prazer, a castração que transmite, "perda pura", contradiz toda homeostase do desejo — o que Freud encontra nos obstáculos que a prática lhe apresenta. Não há reconciliação possível com o pai — por melhor pessoa que seja ele. O amor que o sujeito espera como recompensa por sua renúncia é um logro narcísico.

Parece que Freud, com Moisés, renuncia a reduzir o pai à sua função edípica — onde seria um mero transmissor de uma castração que vai de pai para filho.

Essa transmissão é justamente o pivô do Édipo; nela, porém, o pai não é equivalente ao filho. Não transmite a lei, impõe-na, e continua sendo o avalista da submissão do filho — razão pela qual este último continua sendo seu credor.

O mito do pai primitivo tem que reforçar o mito edípico, insuficiente para unir o sujeito ao real de seu ser pulsional.

Já vimos que o significante do Nome-do-Pai traz a conseqüência de reabsorver a anedota edípica na estrutura em que o sujeito está tomado. Fazendo isto, o Édipo poderia ser reduzido por inteiro a uma série de operações significantes, e até mesmo a uma só — a metáfora paterna. Em função disto, a castração passaria a ser puro efeito da linguagem sobre o sujeito.

Tal concepção, por mais lacaniana que possa parecer aos olhos dos detratores do ensino de Lacan — assim como a alguns de seus alunos —, parece-nos um pouco apressada. Privilegia, decerto, o Nome-do-Pai e a prioridade do simbólico; negligencia porém a natureza sintomática desse significante.

Este, de fato, só é descoberto a partir da significação que produz, isto é, do compromisso que permite ao sujeito operar entre a significação que lhe retorna de seu desejo inconsciente e a lei que sanciona este desejo. É um compromisso porque, por um lado, o sujeito não tem acesso a seu desejo a não ser através da significação induzida por ele — pois a lei não enuncia, como tal, o desejo — e, por outro lado, nenhum significante em particular enuncia a lei (o significante do Nome-do-Pai *não é* o enunciado da lei).

Há aqui então uma dificuldade, evocada por Lacan nos *Écrits* (p. 813) ao indicar que, embora o Pai original pudesse ser invocado — é a solução freudiana —, faltaria ainda "especificar o modo privilegiado de presença" deste.

Em seus seminários mais tardios (*RSI, Le Synthome*), Lacan *interpretará* o pai freudiano como um sintoma, quer dizer, como um acréscimo, um artifício para resolver a seguinte dificuldade: existe uma antinomia para o sujeito entre o desejo, concordante com a lei, e o gozo, que só se submete a ela parcialmente. Se o Outro como lugar da lei — aquele que nomeia o significante do Nome-do-Pai — funda e legaliza o desejo no contexto fálico, o Outro do gozo escapa em grande parte a essa lei. Esse Outro que se subtrai pela falta de significante do gozo, por este mesmo fato "não existe" (*Écrits,* p. 826).

No fundo, o *Urvater* é para Freud uma tentativa de propor esse significante que falta — mas para tal precisa recorrer a uma filogênese, uma "memória" trans-histórica que ele mesmo declara problemática.

Essa falta de significante é o que Lacan chama de objeto *a*. De fato, propõe uma escolha aos analistas. Uma escolha que o curso de Jacques-Alain Miller e sua introdução, em *Ornicar*? nº 28, permitem esclarecer: ou o pai, ou o objeto *a*.

Encontramos o artifício do pai, de resto, na entrada de qualquer análise. Essa entrada repousa, com efeito, na suposição do sujeito de que há um saber possível sobre aquilo que rompeu a homeostase de seu desejo, de que há uma suposição em termos de saber que pode dar significação ao gozo que o perturba, que ele chama de seu sintoma.

É com a precariedade desse artifício que agora se defrontam os analistas quando constatam, e até deploram, a ineficácia crescente das interpretações edípicas, feitas em nome do pai, sob a cobertura dessa autoridade de empréstimo.

Nossa proposta é abordar as dificuldades da prática desse analista "órfão" de fato, coisa que ele lamenta ou nega segundo a ocasião.

III — DO BOM USO DO PAI

Pensamos haver mostrado que interrogar o lugar do pai no campo freudiano permite isolar um elemento determinante da estrutura do ser falante. Mas isso também exige que ponderemos essa determinação.

Freud teve este cuidado, já que hesitou durante mais de dez anos até generalizar o Édipo e fixar o papel que este atribui ao pai. Lembremos também que este papel conserva uma certa ambigüidade, pois a heterogeneidade entre o pai edípico e o pai original é mantida, sem que a parte que cabe a cada um seja estabelecida com clareza.

Lacan intervém nessa dificuldade formalizando a função paterna do ponto de vista do sujeito do significante. Esta função é resumida e ordenada por uma série de elementos estreitamente articulados: significante do Nome-do-Pai, que nomeia a lei do desejo enquanto desejo sexual; metáfora paterna, que permite ao sujeito "interpretar" esse desejo; e significação fálica, que submete, no campo da linguagem, esse desejo à castração. Assim, encontra-se claramente definida a função do pai no ser falante.

Convenhamos, por outro lado, que essa posição de prevalecimento do pai na estrutura, legível em Freud, parece ignorada pela maior parte dos analistas que se afastaram do ensino de Lacan.

Em uma das últimas edições do *IJP* (1984, vol. 65, part. 3), Gertrude Blank faz um levantamento do complexo de Édipo ("The Complete Œdipien Complex") sem dar privilégio algum ao lugar do pai. Este só aparece como "genitor" do sexo masculino, simétrico ao genitor do sexo feminino. Tudo se regula a partir das identificações. E o *complete* do título designa a superposição das quatro identificações possíveis para o sujeito — sendo convocados Jocasta e Laio como reforços para "completar" o Édipo. Limitar o Édipo à contingência do sexo do analisante, ao leque de identificações que resultam disso, e, portanto, às particularidades — históricas ou não — do caso é uma tentação que permanece subjacente ao desenvolvimento do movimento analítico no seio da IPA. Afinal, tudo isso continua sendo freudiano — incontestavelmente. Estas observações também seriam adequadamente aplicadas ao trabalho de S. Lebovici e D. Braunschweig "A propósito da neurose infantil" (*Psychiatrie de l'enfant).*

No entanto, a abordagem estritamente imaginária do complexo de Édipo dilui completamente — como se poderia esperar — a função paterna em seu laço com a castração e a primazia do falo. Isto é um primeiro ponto.

A segunda conseqüência, que aqui nos interessa mais, concerne diretamente à clínica. Este aviltamento da função paterna permite-nos compreender a escassez de trabalhos sobre ela. Mas, sobretudo, quando em alguma passagem de um trabalho clínico surge um material que permitiria levantar a questão do pai, ou bem esse material não é empregado, ou sua retomada não vai muito adiante — e sempre da mesma maneira.

Assim, Roy Shafer ("The Interpretation of Transference and the Conditions of Loving", *PQ,* 1977), ilustra seu trabalho com o relato da cura de um sujeito que *"identified himself unconsciously with his father as a sadistic figure"* (p. 361). A tese consiste em uma nova demonstração do efeito Zeigarnik. Nosso propósito não é retomar um debate encerrado há mais de trinta anos por Lacan ("Intervenção sobre a transferência", *Écrits,* p. 215). Salientemos apenas que o autor se espanta frente a um paradoxo: o amor de transferência emerge quando o contexto da repetição é o dos conflitos que o sujeito mantinha com seu pai. O que há aqui "a mais", pergunta ele, que suscita assim o amor (p. 366)? Talvez, poder-se-ia responder, a função paterna não seja alheia a tal mudança no sentimento — mais, em todo caso, do que a retomada de conflitos deixados de lado, acabados e resolvidos por sua reatualização na transferência.

Hal T. Hurn ("Synergic Relation Between the Process of Fatherhood and Psychoanalysis", *JAPA*, 1969) postula o acesso de seu paciente à paternidade como mola-mestra e fator de desbloqueio de uma cura. Aqui também veríamos a introdução, pela força, do significante do Nome-do-Pai — o que obriga o analista a reconhecer o lugar do Outro. O ponto crucial, significativo, articulado por essa paternidade é a eliminação da incredulidade do paciente quanto às interpretações do analista. Mas se a paternidade tem esta incidência sobre a cura, o autor não apela em absoluto para uma instância apaziguadora que regularia as relações do sujeito com a palavra. A paternidade, também aqui, tem como única conseqüência forçar o sujeito a uma identificação que, finalmente, volta-se para a direção correta. A tal ponto, inclusive, que o autor anula sem dar-se conta a sua tese ao indicar, em uma nota (p. 446), que ela poderia ser *to apply mutatis mutandis to the mother,* sendo o pai invocado, nessa circunstância, por tratar-se de um homem!

Então, que fazer da castração — ligada "por todos" ao falo — se o pai só intervém em relação ao menino? A resposta é simples: não se fala disso, em seu lugar surge o narcisismo concebido como estranho a toda sexualidade, e o pai pode ser largado no depósito de acessórios.

Evidentemente, pareceria ser mais delicado resolver a questão do amor de transferência quando ambos, analisante e analista, são homens. W. Ralph Layland ("In Search of a Loving Father", *IJP*, t. 62, 1981, p. 215) mostra que a dificuldade é logo vencida simplesmente acrescentando a homossexualidade ao par rivalidade-identificação. Os dois tratamentos relatados centram-se na descoberta do amor do pai. Basta que surja a pergunta: "Meu pai me amava?" para que se produza a significação das repetições sintomáticas da sexualidade dos dois analisantes. Ao mesmo tempo, o analista é liberado da preocupação de não ter podido interpretar a homossexualidade até então, manifestada pelos *acting out* dos pacientes. Acha-se assim definida uma incerteza: o pai também (!) é concernido pelo amor. O fato de que se formule na pergunta o amor *do* pai, e não ao pai, denota sem dúvida que nesse ponto do tratamento o desejo do Outro está em jogo. O autor fica assim eximido de encarnar esse Outro. A neutralidade está a salvo.

É surpreendente — observação "de passagem" — a vivacidade com que certos analistas utilizam a homossexualidade para designar aquilo que lhes parece resultar das relações de um analisante com "o pai", sobretudo quando a transferência se intromete.

O resultado habitual é conduzir o sujeito a um impasse, o de uma pseudoperversão, ao passo que o ponto de partida é totalmente diferente: o amor. O amor, não em sua vertente de isca narcísica, mas como chamado ao Outro. Chamado ao Outro para que este diga o que sabe do ser. É o que sugere Lacan ao salientar que um dos Nomes-do-Pai se escreve "A mulher".

Rivalidade, narcisismo, homossexualidade, todos são obstáculos para a saída do tratamento. Uma só resposta: a identificação — ao analista, provavelmente. Reencontramos aqui, sempre atual, uma velha ladainha.

Que disso não se deduza com excessiva presteza que tal atualidade tem como causa única a rejeição, pelos analistas, do simbólico.

A identificação não é só a captura do sujeito no logro imaginário. É também — como ocorre na maioria dos textos que consultamos — o apoio que o analista encontra no ideal. Ideal que também é um outro nome para o pai. Eis porque estes exemplos têm valor.

O Ideal é o Nome-do-Pai do neurótico desde que a neurose é a crença em um apaziguamento do desejo sexual e em uma conjunção possível entre os sexos. Se o próprio pai, ao mesmo tempo, resulta de um ato de fé, isto explica por que é imprudente — e mesmo perigoso — falar sobre ele, pois seria ameaçar o edifício que sustenta.

Assim, a função — terapêutica — da interpretação dependeria de um apelo ao pai como ideal. Eis uma interpretação feita "em nome do pai", isto é, sujeitando o analisante ao significante que prevalece no inconsciente, o pai, sob a proteção do qual o analista interpreta.

Ora, é mais provável que um dos efeitos da análise consista em abalar esta crença no pai. E se existe resistência do sujeito, é nisso que pode ser situada, na proteção dessa crença. Além do mais, é o sujeito quem invoca o pai quando a análise o confronta com a castração. Nada tem de surpreendente o fato de que o analista seja tentado a sustentá-lo nessa invocação, já que ela lhe permite reintegrar o Outro para encontrar aí o abrigo e a autoridade do pai.

Estamos aqui, simplesmente, no avesso da psicanálise, como escreve Lacan. No lado direito desta, o analista — órfão, como dissemos — não pode recorrer a esse abrigo. Seu ato lhe exige, pelo contrário, que produza a queda dessa idealização para manter-se à maior distância possível (*Cf.* Lacan, *Seminário XI*, p. 245).

Analistas e analisantes repelem essa queda para promover, pela via do ideal, um mestre do desejo ao qual o pai ofereceria seu nome. O significante do Nome-do-Pai, asim, faz as vezes de mestre — mestre do desejo — e pode portanto adquirir algumas virtudes terapêuticas, nunca desdenháveis nessa questão.

Contudo, este efeito se detém: o pai, na medida em que tem seu lugar no inconsciente, funciona sob a insígnia do saber. Verdade presente em Freud, posto que resume a única interpretação que ele anuncia diretamente ao pequeno Hans.

Está aí, por outro lado, uma das molas da chamada ambivalência de um neurótico. Se ama o pai por seu saber, é com a condição de que o guarde para ele. O pai do neurótico é um pai que sabe fechar os olhos, quando é preciso.

Será porque Freud, embora com inclinação pelo pai, não fechava os olhos, é que foi levado a propor a alternativa entre análise terminável ou não? Teremos que voltar a isto agora.

"O homem não quer submeter-se (*unterwerfen*) a um substituto do pai, não quer ter obrigações para com ele (*Ihm nicht zu Dank verpflichtet sein*), e assim não quer receber do médico sua cura (*also auch von Arzt die Heilung nicht annehmen*)" ("Análise terminável e interminável", *RFP*, t. XI, p. 37; e *G.W.*, t. XVI, p. 98).

Assim, segundo uma das últimas indicações que Freud nos deixou, o analista se apresentaria ao analisante como "substituto do pai" para negociar a saída do tratamento, oferecendo junto com a cura a sua contrapartida — a separação.

Negando-se a ela, o sujeito certamente se desvia do saber que falta advir, mas, por isso mesmo, mantém o analista em sua presença. Eis por que se trata de um momento da transferência, de um fechamento do inconsciente. Eis também por que esse chamado do pai depende de uma astúcia, de um engodo do sujeito.

Para situar essa dificuldade — esse "rochedo" — Freud apela para o fato de que existem dois sexos. Recordemos brevemente esse texto justamente célebre. A manifestação dessa última "resistência" assume o nome, no caso do homem, de protesto viril (*männlicher Protest*), e, no da mulher, de desejo de pênis (*Peniswunsch*). Algumas linhas acima (*op. cit., G.W.*, p. 97; e *RFP*, p. 36), ele nos propõe um fator que seria comum aos dois sexos: a recusa da feminilidade (*Ablehnung der Weiblichkeit*). É claro que aqui pode-se ler apenas variações terminológicas para modular a rejeição da castração.

Será tão simples? A castração atinge a "virilidade" somente em sua dimensão imaginária. Do ponto de vista do sujeito, a castração, pelo contrário, é aquilo que o sustenta frente à dialética do desejo. A castração não pode significar uma perda de virilidade, nem tampouco, para a mulher, perda de um pênis que não tem; inversamente, funda a garantia de uma função do desejo concordante com a lei fálica. Se há perda ($-\varphi$), esta só pode ser referida ao registro do gozo — aquele, precisamente, que a castração proíbe. É nesse Outro gozo, que viria acorrentar a significação fálica, que o neurótico fica preso — por seu sintoma, que está infiltrado de gozo.

Vê-se por que Freud evoca a feminilidade para designar esse rochedo "biológico" — quer dizer, real — onde o sujeito ancora seu ser pulsional. Se há "rejeição" (*Ablehnung*) dessa feminilidade, é no sentido de que o sujeito se recusa a introduzir seu ser de gozo — silencioso — na dialética do desejo, ou seja, recusa-se a sacrificá-lo ao Outro (*Écrits*, p. 826). Os germanistas dirão se é um contra-senso interpretar assim o termo *Ablehnung*. A cura evocada por Freud equivale a submeter o gozo — e o sintoma que a ele se prende — à lei fálica. O problema é que o gozo só se submete a esta como "não-todo".

Lacan concorda com Freud ao remeter este resto à feminilidade, mas, ao contrário deste, sua solução não consiste em um acosso do pai, mas em introduzir nesse ponto mesmo de escolha do sujeito o objeto *a*.

É aqui que a psicanálise se separa radicalmente do ponto de vista genético, mesmo que este último possa invocar o nome de Freud.

Do ponto de vista do complexo de Édipo e de seu declínio, supostos na história de todo sujeito, cabe ao pai, com efeito, centrar o acesso ao desejo pela primazia do falo. Mas então, por que seria surpreendente ver o sujeito proteger-se de um "protesto viril" ou de um "desejo de pênis"? Não serão efeitos de uma boa educação? Não será isto, inclusive, a correta instalação das condições da castração? Por que seria surpreendente que a análise venha ratificar essa instalação, e mesmo dar aval ao excesso neurótico que ela pode trazer?

Ao conceber a cura analítica apenas como retomada e terminação harmoniosa do processo edípico, encontramos necessariamente um substituto do pai — para reparar, sem dúvida, aquilo em que o pai histórico falhou.

O "como papai" torna-se a única solução concebível: para o homem, exercer sua virilidade sem protestar pelo preço que ela tem; para a mulher, aceitar que seu desejo passa pelo Outro, portador do pênis.

Solução "ideal", como vimos, mas que, no melhor dos casos, deixa o sujeito em suspenso. Lacan faz esta observação (*Écrits,* p. 853). Para o homem, de fato, é com a condição de uma "conta em débito" que o mantém com uma dívida a descoberto, e portanto à procura de um aval que venha reforçar a crença no pai. Quanto à mulher, esta tem seu "crédito cortado", quer dizer, é denunciada uma promessa — a obtenção do pênis — que jamais lhe foi feita, mas que ela supunha quando de sua demanda de análise.

Posição de suspensão do sujeito, que deve ser distinguida daquela de um sujeito que teria ido mais além por uma análise que chegou a seu término. O momento de impasse evocado por Freud é portanto, para o analisante, um cruzamento de caminhos.

Curiosamente, tal impasse não parece perturbar os analistas, salvo quando entrava sua ação "terapêutica". Quando se trata da "didática", pelo contrário, esta suspensão do sujeito parece assegurar as virtudes do bom analista. É verdade que este último é obrigado a invocar uma genealogia que não remonta a Deus, como os reis e nobres da boa época, mas a Freud, o que ainda é muito. Podemos deleitar-nos com dois volumes coletivos publicados recentemente pela PUF: *l'Identité du psychanaliste* (1978, sob a direção de E. Joseph e D. Widlocher) e *La formation du psychanaliste* (1982, sob a direção de A. Solnit e S. Lebovici) onde são detalhadas, minuciosa e internacionalmente, tais filiações.

Uma escolha, entretanto. O pai como suporte complacente de uma identificação que idealiza sempre os valores do eu assim reforçados, um pai que cobre com um olhar cego o gozo que se exerce para além de sua jurisdição. Ou então, como sugere Lacan, o pior:

a aposta de um ser que pode enfim saber-se e dizer-se, mas também — este é o risco — perder-se. No inconsciente, por exemplo.

Uma escolha também para o analista. Que iremos examinar.

Poderia parecer paradoxal que uma recusa à castração se expresse pelo recurso àquele que é o próprio agente dessa castração. O que se formula como temor ou rejeição ao pai, é de fato apelo e demanda a este. Primeiramente, seria esquecer que tal recurso deixa a castração a cargo do agente, o que permite ao sujeito manter — com todo direito — a queixa na qual pode reforçar seu eu, como indica Lacan (*Écrits,* p. 826). Mas sobretudo, ao preservar o analista no lugar do Outro — já que o pai é uma formulação deste — tal convocação o submete à lei fálica.

Isto pode parecer óbvio, pois esta lei, como se sabe, o sujeito a recebe do Outro. E mais: não é um pouquinho surpreendente dizer que o analista poderia ser situado em um fora-da-lei fálico? Só em vislumbrar essa provável implicação, um analista fica completamente abalado (J.-Cl. Sempé, *RFP,* 1970, vol. 2).

O apelo ao pai, entretanto, ao fixar o analista no lugar do Outro, tem uma outra conseqüência, habitualmente despercebida porém sugerida por Freud no texto que acabamos de examinar. A conseqüência é simplesmente condenar o analista à impotência. A psicanálise reata assim com sua origem, a histeria, ou, mais exatamente, o discurso histérico tal como Lacan o formalizou.

Assim, mestre ideal e respeitado da identificação ou mestre impotente e logo ridículo do saber inconsciente, se o analista escolhe o pai, segundo a vontade de seu paciente, como suporte de seu ato, oscila de uma posição de reforço do eu a outra que sublinha a castração do sujeito "histerizado", embora lhe subtraia todo poder sobre o gozo do qual esse sujeito diz sofrer. Agir sobre a pulsão, isto é, sobre o real, eis a meta última da psicanálise — que não é psicoterapia.

O impossível não é a impotência, a psicanálise só deve tender para o primeiro — e o analista deve rejeitar o apoio do pai para deixá-lo operar apenas como saber. Um saber limitado, pois o Outro não sabe tudo, seu saber é não-todo.

Agir sobre a pulsão implica primeiro que se designe o limite desse saber, pois ela está para além — onde nenhuma crença pode fazer as vezes, ser um substituto, ou mesmo semblante (de saber). Isto exige, então, acabar com as ilusões quanto ao pai.

1985

BIBLIOGRAFIA

ABELIN L. Ernest, «Some Further Observations and Comments on the Earliest Role of the Father», *IJP,* 1975, t. 56, p. 295.

APOSTOLIDES Jean-Marie, «Image du père du tyran au XVIIe siècle», *RFP.*

BALINT Alice, «Der Familienvater. The Head of the Family», *Im.,* 1926, t. 12, p. 292–304.

BIGRAS Julien, «Le sens moral et le masochisme dans l'inceste père-fille", *Interprétation,* 1967, t. 1 (1), p. 35–63.

BLANK Gertrude, «The Complete Œdipius Complex», *IJPA,* 1984, vol. 65, part. 3.

CASTETS Bruno, «A propos de la place du père dans la structure psychotique, réflexions sur la psycho-genèse des psychoses à partir de 4 observations», *Ann. méd.-Psychol.,* 1966, t. 124, p. 447–462.

COTTET S., *Freud et le désir du psychanalyste,* Navarin Éditeur, 1982. [Ed. bras.: *Freud e o desejo do psicanalista,* trad. Ari Roitman. Rio, Jorge Zahar Editor, 1989].

DEVEREUX G., «Retaliotory Homosexual Triumph over the Father». *IJPA,* 1960, t. 41, p. 157–161.

DEVEREUX G., «Why Œdipius killed Laios. A note on the Complementary Œdipius Complex in Greek Drama», *IJPA,* 1953, t. 34, p. 131.

FELDMAN Harold, «How We Create "Fathers" and Make Them Sons», *Am. Im.,* 1955, t. 12, p. 71–86.

FRANK Alvin, «History on Screen Memories», *IJPA,* 1984, vol. 65, p. 1.

FREEDMAN Ph. D., «On Psychoanalytic Listening, The Construction, Paralysis and Reconstruction of Dreaming», *PQ,* 1983, vol. 2.

FURST S. Sidney «The Stimulus Barrier and The Pathogenicity of Trauma», *IJP,* 1978, t. 59, p. 345.

HANLY C., «Ego Ideal and Ideal Ego», *IJP,* 1984, vol. 65, 3, p. 253.

HITSCHMANN E., «Eine Dichter und Sein Vater», *Im.,* 1916, t. 4.

HUG Hellmuth Hivon, «Mutter-Sohn, Vater-Tochter», *Imago,* 1917, t. 5.

HURN, Hal T., «Synergic Relations Between the Processes of Fatherhood and Psychoanalysis», *JAPA,* 1969.

IKONEN P. and RICHARD E., «On the Universal Nature of Primal Scene Fantasie», *IJPA,* 1984, vol. 65, n.º 1.

JOSEPH E. and WIDLOCHER D., *l'Identité du psychanalyste,* PUF, 1979.

JUNG C. G., «Die Bedeutung des Vaters für das Schicksal des Einzelnen», Leipzig, F. Deuticke, 1909, 1927, 21 p.; *Y,* 1909, t. 1, p. 155–173.

KAPLAN Donald B., «Some Conceptual and Clinical Aspects of the Actual Neurosis», *IJPA,* vol. 65, 1984, part. 3.

KUBIE Lawrence S., «Resolution of a Traffic Phobia in Conversations between a Father and a Son», *Q,* 1937, t. 6, p. 223–226.

LAYLAND W. Ralph, «In Search of a Loving Father», *IJP,* 1981, vol. 62, p. 215.

LEBOVICI S., BRAUNSCHWEIG D., «A propos de la névrose infantile», *la Psychiatrie de l'enfant,* 1967, vol. X, p. 43–122.

LEBOVICI S., SOLNIT A., *la Formation du psychanalyste,* PUF, 1982.

LEONARD Marjorie R., «Fathers and Daughters: The Significance of "Fathering" in the Psychosexual Development of the Girl», *IJP*, 1966, t. 47. p. 325–334; *Abs Q*. 1968, t. 37, p. 313.

LIERTZ Rhaban, «L'image du père et son influence sur l'éducation religieuse», *Psyché*, Paris, 1951, t. 6, p. 583–588.

MARANZ Georges, «Le conflit entre père et fils», *Psyché*, Paris, 1947.

MEISS Margaret L., «The Œdipal Problem of a Fatherless Child», *Psa St C*, 1952, t. 7, p. 216–229.

MISES R., «L'intégration du père dans les conflits précoses», *RFP*.

MORGENTHALER Fritz, «Père et fils; histoire d'un cas clinique», *Psyché*, Paris, 1952, t. 7 (67), p. 244–255, 297–302, 343–356; «Du Père», *Littoral*, 1984, n.º 11/12.

RANGELL Léo, «The Analyst at Work», *IJPA*, vol. 65, 1984, n.º 2.

REIK Theodor, «Die Kindliche Gottesvorstellung. Vaterkomplex. Das Kind und der Tod», *Im.*, 1914, t. 3, p. 93–95.

ROHEIM Géza. «Nach dem Tode des Urvaters», *Im.*, 1923, t. 9, p. 83–121.

ROSOLATO Guy, *Essais sur le symbolique*, NRF, Gallimard, «Connaissance de l'inconscient», 1969.

SHENGOLD Léonard L., «Chekov and Schreber: Vicissitudes of a Certain Kind of Father–Son Relationship», *IJP*, 1961, t. 42, p. 431–438.

SPRUEILL Vann, «The Analyst at Work», *IJPA*, 1984, vol. 65, n.º 1.

SEMPE J. C., «La chute du père et la restauration», *RFP*, 1970, t. 34, vol. 2.

STEIN C., «Père mortel et père immortel», *RFP*.

TAYLOR M. P., «A Father Pleads for the Death of his Son», *IJP*, 1927, t. 8, p. 53–55 *Rv of Im.*, 1928, t. 14, p. 533.

WOLFSON Louis, *Ma mère, musicienne, est morte* [. . .], Navarin, 1984.

II

Casos Clínicos

Momentos cruciais

Este tema do "momento crucial" é, propriamente, inédito.[1] Justamente por isto, fico surpreso com o caráter de evidência que ele assume junto aos alunos de Lacan: a cada um deles parece evidente que há momentos cruciais no tratamento — em qualquer tratamento psicanalítico, inclusive — e até mesmo que todo tratamento pode resumir-se ou caracterizar-se por seu(s) momento(s) crucial(ais).

Ora, se olharmos mais de perto, não é isto o que predomina como ponto de vista no movimento analítico. Claro, narrar um caso leva necessariamente o analista a centrar seu relato em "modelos pontuais" da cura, momentos fortes que resumem e condensam o seu conjunto. Mas se tentamos deslindar, precisar e verificar a hipótese de que há momentos cruciais no tratamento, não é apenas para constatar que nele há tempos fortes em alternância com períodos entediantes e que há dificuldades inesperadas que o analista deve resolver.

É sabido que a análise não tem forçosamente o aspecto tranqüilo de um passeio numa suave noite de outono. E reunir analistas para falar das dificuldades que encontram em sua prática não seria uma grande novidade. Seria preciso, então, tentar definir nossa hipótese do momento crucial; para isto, partirei de Freud — sempre bem-vindo.

Em primeiro lugar, o Homem dos Lobos: o mais simples, pois parece que toda esta análise se resume em um sonho. Mas em que

[1] Introdução às Jornadas da Escola da Causa Freudiana, outubro de 1982.

é crucial esse sonho senão por ser nele que Freud encontra o fio que o conduz à cena primitiva? Mas, crucial para quem? Para Freud ou para o sonhador?

Agora, Dora: Freud insiste nos dois sonhos que ela lhe traz. Vinte anos depois, contudo, não é provavelmente isto que ele retém, mas antes sua má interpretação da transferência. Prestando-se com demasiada facilidade a ser "todos os homens" para Dora, colhe o mesmo que o sr. K.: uma ofensa. Momento crucial, embora fracassado. Dora procura uma mulher, Freud responde: "É de um homem que você precisa". Um giro do tratamento, claro, porém mal negociado. E Dora some na paisagem deixando Freud de lado.

Dois exemplos, então, aos quais me limitarei. Um, onde se revela o enraizamento fantasmático do sujeito, e assim resume e condensa o tratamento e proporciona sua saída. O outro, um fim fracassado, uma saída falsa. Dois aspectos, então, do momento crucial.

Mas é preciso precaver-se e não considerar resolvida a questão. Os casos freudianos, justamente por serem inaugurais, são muitas vezes enganosos. Atendo-nos aos escritos analíticos, designar um momento crucial nem sempre é seguro. Não se trata em geral de um meio para o autor tratar de ilustrar um ponto da teoria? Não haverá, em suma, um pouco de artifício nessa apresentação, como que uma *mise-en-scène* — que Freud chamava, a propósito do sonho, de *"Die Rücksich auf Darstellbarkeit"*?

Afinal, a maior parte do meio analítico, aquela que se alinha sob a férula da IPA., concebe o tratamento como um processo contínuo — e isso é o que nos permite apreender o sentido que dá ao conceito de regressão. O analisante, uma vez começado o seu trabalho, e na medida em que o prossegue sabiamente — com a ajuda de seu analista —, é insensivelmente levado, pela via regressiva, ao ponto de retrocesso que certamente não é um momento crucial, mas apenas etapa essencial para que o percurso se complete. No caminho pode-se encontrar dificuldades, ciladas, e mesmo falsos abrigos; mas há, no fundo, um certo tipo de determinismo que deve conduzir inevitavelmente à meta fixada — por exemplo, a maturidade genital e uma relação pacífica com os objetos. Mesmo a concepção kleiniana, apesar de todo o interesse que devemos dedicar-lhe, conceitua o tratamento segundo o modo da continuidade. Afinal, tal concepção se apóia em Freud, já que o motor desse determinismo é evidentemente a repetição.

Eis por que não há necessidade de ir tão longe para ver contestada a nossa hipótese dos momentos cruciais. Uma leitura parcial da teoria lacaniana lhe faria objeções da mesma maneira.

Se nos ativermos, com efeito, ao ponto de partida da análise, ao modo em que ela se debreia, como poderíamos resumi-lo? Pelo seguinte objetivo: trazer à luz o que Lacan chama de "o saber, suposto presente, dos significantes no inconsciente". Se nos ativermos a este único ponto de partida, poderemos sustentar sem restrições uma continuidade do processo analítico.

A dificuldade que embaraça os psicanalistas é que uma análise não é redutível ao desenrolar automático dos significantes. Isto embaraça os analistas porque o que se opõe a esse automatismo são eles mesmos. É o analista quem faz entrar areia na engrenagem. O analista não está no tratamento para nada, não pode até o fim reduzir-se a ser o significante qualquer onde o analisante prende sua palavra inaugural. Embora este significante qualquer seja suficiente na partida, a chegada necessita que ele saiba o que fazer, não apenas com significantes, mas com o objeto que o analisante arrasta atrás de si. O analista, aliás, deve a tal ponto saber o que fazer com ele, que termina encarnando esse objeto.

Daí resulta um efeito maciço: a ruptura da cadeia significante. Isto fecha o bico do analisante. Quantas vezes não escutamos: "Eu tinha montões de coisas para lhe dizer, mas quando me deitei tudo se foi, é o vazio?" Em resumo, se o analista não estivesse lá, o inconsciente nada demandaria senão falar. Eis por que Lacan pôde dizer que não há resistência a não ser a do analista. É por sua função de objeto que o analista introduz a possibilidade de ruptura. Por exemplo, quando a transferência é concebida como artefato é que se faz necessário interpretar pouco a pouco, justamente para restabelecer a continuidade.

Vêem então que, ao propormos a hipótese dos momentos cruciais, fica implícito que não há nada além da repetição significante que mobiliza o inconsciente.

Isto implica que o destino de um sujeito não reside apenas na instância da letra, e que as descontinuidades, que designamos com a expressão "momento crucial", são também brechas por onde surge o novo.

Só se pode falar de momento crucial para designar uma conjuntura na qual o que está em jogo é a própria análise — seja uma orientação, seja seu prosseguimento —, uma conjuntura em que analista e analisante encontram-se ambos em uma encruzilhada, e na qual, para manter o rumo, é preciso não se enganar de direção.

Em outras palavras, há certamente uma direção da cura, mas esta não é dada por antecipação. A tal ponto, aliás, não é dada por antecipação que é em geral *après-coup* que se deixa ver — ou antes, ler — quando esses momentos cruciais revelaram o poder oculto dessa direção.

Tal localização, tal delimitação do momento crucial comporta uma dificuldade. De fato, se podemos afirmar que o analista adquire, como se diz, "experiência", a prática da psicanálise, inversamente, é por inteira o oposto de uma prática experimental. E por isso mesmo Lacan pôde dizer que, para o analista, é de um ato que se trata.

O analista está para o ato como a dona-de-casa está para seu forno. Se ele se engana, se seu ato falha, não há possibilidade de recomeçar aproveitando as lições de seu erro — poderia no máximo conjecturar sobre a maneira pela qual teria podido evitar esse erro: por um lado, é tarde demais; por outro, nem mesmo pode estar seguro de que essa correção poderia ter retificado a direção da cura. Do mesmo modo, vêem que isto coloca alguns problemas para delimitar, em determinado tratamento, aquilo que constitui um momento crucial. Esta abordagem da questão permite contudo um primeiro esboço de classificação. Classificação que já foi colocada pelos dois exemplos que trouxe de Freud: Dora, por uma parte, e o Homem dos Lobos, por outra.

1982

Limite da função paterna

Fracasso ou terminação da análise

O analista deve acostumar-se com a idéia de que estabelece sua experiência a partir do que não acerta. Seus desacertos, com efeito, levam-no a interrogar seu ato aí onde falha. Em matéria de psicanálise, como definir o sucesso a não ser como ausência de fracasso? Curiosa experiência, cujo ensino nunca intervém senão tarde demais, *après-coup*.

A metáfora freudiana do leão que só salta uma vez deve ser estendida ao conjunto do tratamento. Só o conjunto do tratamento dá ao analista a segurançaa de ter mirado com precisão. Terminar um tratamento é tornar irrevogável um ato que poderia ainda, até aquele minuto, ter sido retificado. Quando o analisante vai embora, desaparece para o analista: funde-se no real. Se podemos dizer que o analisante se engaja na análise por vontade própria, a decisão sobre o fim desta cabe por inteiro ao analista, que deve agüentar essa carga — ou mesmo descarga. Eis por que o ato analítico se avalia pelo fim — e também a finalidade — que o analista lhe dá.

Quando é prematuro esse término, o desacerto que ele pontua mostra ao analista os marcos que lhe escaparam, os ziguezagues que não soube vencer e os erros que não pôde prevenir.

Freud, aí, não deixa esperanças, pois descobre na castração o rochedo no qual toda análise naufraga. Se Lacan postula a ultrapassagem desse obstáculo, resta-nos mostrar que tal ultrapassagem é possível. Este é um dos critérios que se deve exigir de uma clínica lacaniana.

Ficarei aquém desse objetivo; posso apenas propor-lhes, pelo questionamento de um erro, as soluções possíveis com as quais teria podido — talvez — ser bem-sucedido.

A insubmissa

Quando Rachel veio ver-me para fazer uma demanda de análise, apresentou-se como uma insubmissa: insubmissa às mais cotidianas dificuldades da existência, cujas contrariedades lhe pareciam resultar da má-vontade de uma sina que a tinha especialmente como alvo; insubmissa às obrigações da vida conjugal, em que via apenas exigências de um marido que impedia sua autonomia; insubmissa, enfim, às obrigações de sua profissão, na qual só via exploração e mesmo escravidão.

A sexualidade era antes de mais nada um dever, se não uma corvéia, embora ela reconhecesse que de modo algum era frígida. O dever conjugal era sempre objeto de debates, nos quais ela cedia — mas não sem uma contrapartida. Do desejo ela não duvidava; a demanda que este implicava era o que para ela se tornava insuportável. Tanto a sua quanto a dos outros.

Rachel era insubmissa. Chamá-la de "reivindicante" é coisa que não caberia. A reivindicação é uma queixa cujo objeto são as leis que regulam a partição dos bens; ela não contestava a existência dessas leis, mas somente sua aplicação.

Ora, Rachel não se queixava de nenhum dano em particular, de nenhum prejuízo de que tivesse sido objeto.

Era de violência que sofria, de uma violência da qual era mais um joguete do que uma simples vítima. Uma violência que surgia e a invadia em qualquer confrontação com o semelhante. Violência recíproca que sofria duplamente por não poder exercê-la sobre o outro, e que exacerbara sua rebelião até levá-la ao desespero. Resultava daí um sofrimento difuso, uma queixa depressiva que dava o tom de sua existência e de sua palavra: por que esta vida é tão pesada e dolorosa? Que segredo detém o outro para gozar de uma felicidade que me escapa radicalmente?

Este sofrimento nem sempre existiu. Surgiu aos doze-treze anos, no momento da puberdade. De fato, a adolescência de Rachel resumiu-se estritamente no enfrentamento cotidiano com o pai, conflito permanente e de uma intensidade que a espantava quando o evocava. Seu pai era para ela o agente único, o representante exclusivo dessas coerções que desde então a torturavam.

Ela própria ficava desconcertada com esta constatação, pois nada em seu pai justificava que fosse assim convertido em responsável por sua miséria. Nenhum traço de caráter particular: nem fraqueza excessiva, nem autoridade inábil, nem indiferença desanimadora.

O combate cessara brusca e tragicamente quando, durante uma dessas brigas, o pai de Rachel morreu brutalmente de um acidente cardíaco agudo.

Tal acontecimento, ocorrido em um contexto tão dramático, pareceu-me determinante: determinante de uma significação que, a meu ver, deveria ser o centro da condução do tratamento — significação de um enfrentamento deixado em suspenso, em que a ausência dolorosa de uma palavra resolutiva separou Rachel do reconhecimento da lei edípica e do desejo que esta regulamenta.

A garotinha alegre

Havia um luto a ser feito, a partir do qual o pai, enfim morto, permitiria que ela suportasse essa lei e a castração que implica.

Pois para além dessa conflitiva adolescência, na infância, a paisagem muda. Rachel fez surgir uma garota alegre, atenta às alegrias e prazeres, e a evocação dos jogos sexuais — pelos quais manifestava uma curiosidade e um entusiasmo de prosélito — trazia-lhe uma dolorosa consternação.

Chegou a encontrar a lembrança de um período em que cedia complacentemente às carícias de um empregado da loja de sua mãe. Assim, Rachel aceitou e até solicitou esses toques precisos que normalmente terminavam com a ejaculação, frente a seus olhos, do parceiro. Esse sainete se repetiu, segundo as lembranças pouco a pouco desenterradas, durante quase um ano. A relação se interrompera com a partida do empregado. Acrescentemos um elemento essencial: na maioria das vezes a mãe não se encontrava longe, cuidando das atividades comerciais da loja.

De fato, a evocação dessa infância cheia do que se há de chamar "gozo sexual" produziu em Rachel a invasão de uma nostalgia intolerável, que a remeteu de maneira irresistível ao amor que tinha por sua mãe. E isto a tal ponto que, no que tangia a esse objeto materno, o empregado ali estava, esritamente apenas como agente, executante e mesmo oficiante da mãe.

Rachel estava presa entre duas faces, duas vertentes aparentemente contraditórias de sua história. A primeira: de oposição ao pai, em que rejeitava a lei por ele encarnada, lei que no entanto é o único acesso ao desejo fálico. A segunda: de efusão sensual em que dominava o amor pela mãe, onde a meta é um gozo que de entrada se impõe a ela como mítico e inigualável.

De um lado, poder-se-ia dizer, o desejo; do outro, se me é permitida esta esquematização, o gozo.

De fato, um pai — e sobretudo o pai sedutor da histérica — desperta o desejo, justamente porque se mostra sempre insuficiente, insatisfatório e mesmo desfalecente. Inversamente, uma mãe complacente estabelece necessariamente o sujeito na nostalgia de um gozo do qual jamais haverá equivalente.

A transferência

Era neste ponto que Rachel me esperava; daí me chamar imperiosamente, exigindo de mim o que imaginava ter obtido de sua mãe.

Achei, entretanto, que devia evitar essa solicitação e conduzir o tratamento, preferivelmente, pela outra via, pela outra versão de sua história.

A partir disso a análise se desenrolou segundo uma sucessão regular de opisódios em que a espera, inevitavelmente decepcionada, desencadeava seu furor — que cedera com um sonho que nos lembrou, tanto a um quanto a outro, que ela me amava. Sonhos de efusão nos quais um parceiro — sua mãe e eu fizemos rodízio neste papel — às vezes a levava até o orgasmo.

Insisti, mesmo assim, em pôr na mesa um pai que impedia um gozo sem sobressaltos. Pai evocador de um falo que sublinharia mais aquilo que o sujeito perdia ao realizar seu gozo do que o que ganhava apenas imaginando-o. Insisti em decepcionar Rachel e em deixá-la insatisfeita. Em outras palavras, incorri em seu ódio — mas, pensando bem, no fundo eu o merecera.

A transferência se destacava cada vez menos da repetição que anima; pelo contrário, converte-se por inteiro nessa repetição que se manifesta como ódio ao próprio falo, e acessoriamente — é o caso de dizê-lo —, como ódio àquele que o porta.

A transferência negativa, diz Lacan, é a verdade da transferência. Com Rachel estava bem servido. Por outro lado, isso servia também a ela. Enquanto as coisas iam mal comigo, no resto pareciam ir bem melhor; ela pôde inclusive admiti-lo, quando seu ódio nos deu algum descanso.

A tal ponto que, no decorrer de um episódio particularmente violento, às vésperas de umas férias, ela decidiu não voltar mais e interromper assim sua análise.

O luto do pai

Como irei então concluir este relato da cura de Rachel?

Duas constatações — contraditórias — podem ser feitas.

Por um lado, apesar das armadilhas, das dificuldades e das confrontações, sob a pressão de uma interpretação sempre voltada para uma só direção, poderíamos dizer que Rachel pôde, com a análise, reconstruir um pai imaginário feito sob medida, a partir do qual se efetuou o luto do pai real. Devido a isto, por outro lado, um relativo reconhecimento do pai morto lhe permitira um acesso, sem dúvida precário, à castração — o que se comprovou pelo apaziguamento de sua relação com o meio que lhe era mais próximo. Provavelmente este acesso à castração ficou marcado por uma forte hostilidade ao portador do atributo fálico. *Penisneid,* por conseguinte; ou seja — por que não? —, êxito freudiano.

Falo de êxito freudiano para contrapor-lhe o que julgo ser um fracasso, no sentido lacaniano. Se me permitem de novo semelhante esquematismo.

Fracasso, em primeiro lugar, no manejo da transferência, incessantamente reconduzida à repetição — e portanto entulhada de imaginário. Esta confusão resultou da superposição entre, por um lado, a *mise-en-scène* com a qual Rachel esperava recuperar seu gozo e, por outro lado, o combate em que se esquivava ao desejo do Outro.

Disto resultou que não foi analisado nada do fantasma que resolveria o conflito fálico em que se refugiou o sujeito Rachel. De fato, construir um pai não equivale a construir o objeto de seu fantasma para separar-se dele.

Pelo contrário. Rachel manteve-se ligada a esse pai — não por negar a sua morte (a isto, a análise a levou) — mas porque, mais radicalmente, ele veio ocupar o lugar desse Outro que a deixava cair no ponto exato em que ela imaginava gozar com ele. Que o pai se perfilasse assim em uma perspectiva materna significava apenas que o falo não é o todo do gozo.

Limite do gozo

Se a castração acomoda o desejo à lei, o que faz é dividir o gozo. Era ingenuidade de minha parte pensar em regular tudo apenas com aquilo que regulamenta o falo.

A castração dividiu o gozo para produzir um resto, ao qual Rachel continuava presa. Podemos localizar esse resto, sem dúvida, no olhar materno que cobria com sua onipresença cúmplice tanto as atividades sexuais de Rachel quanto seus combates com o pai.

Fantasma intocado, portanto, sobre o qual a análise produziu uma prótese fálica que a levou a encontrar para seu gozo um instrumento para sempre inadequado.

Para terminar, algumas palavras sobre o diagnóstico.

Retomando esse tratamento vários anos após seu inacabamento, parece-me que se resolve pelo lado da neurose obsessiva. A problemática predominante do gozo — erigido em mito individual, sobre o qual Rachel se empenhou em constituir um Outro à sua medida — dá argumentos neste sentido.

Assim como jamais se poderá ludibriar uma histérica com um pai de meia-tigela, mesmo que seja o analista.

O pai só convém ao gozo pelo mito; como símbolo, ele só marca seu limite.

1984

Transferência e interpretação nas psicoses

É um fato que temos que admitir: há psicóticos em análise. Este fato mostra que os analistas souberam se fiar no ensino de Lacan, que lhes indica que um analista não deve recuar diante da psicose.

No entanto, talvez não haja motivo para estar tão surpreso com este princípio. Não recuar diante da psicose implica dizer que toda demanda de análise é digna de ser levada a sério. Toda demanda, seja quem for aquele que a enuncia, exige do analista a quem se dirige que não recue diante do oferecimento que tem que fazer, ou seja, oferecer uma análise e oferecer-se para ser seu agente.

A demanda do psicótico

A demanda de análise é uma manifestação do sujeito — a partir deste ponto de vista é que o analista pode responder a ela. Responde interpretando-a, e especialmente aceitando-a. A primeira interpretação que o analista faz é sua aceitação da demanda de análise, preparando assim o início do funcionamento do sujeito suposto saber.

Estas são meras evocações, que no entanto impõem a seguinte observação: a demanda de análise, para ser interpretada, não tem que ser remetida *a priori* a uma estrutura clínica, posto que basta referi-la simplesmente ao sujeito.

Além disso, não se vê por que se duvidaria mais de uma demanda de análise sob o pretexto de que aquele que a enuncia seria chamado de psicótico. Se o analista, mesmo assim, é convidado a ter uma idéia da estrutura clínica em que o sujeito se abriga, isto é apenas para modular sua resposta e ajustar seu *après-coup*. Não há outra indicação para o tratamento além da determinação do sujeito a engajar-se nele. Sabemos que isto é completamente problemático também com um neurótico.

No fundo, a pergunta que eu seria antes levado a fazer é a seguinte: como acontece que os psicóticos não recuem, tampouco, diante da análise? Como explicar que eles enunciem essa demanda, comecem um tratamento e nele se mantenham?

Claro, pode-se creditar isto aos efeitos da extensão da psicanálise. Entretanto, que um psicótico possa ser analisante, que se submeta à tarefa que o dispositivo analítico lhe impõe, eis o que seria preciso explicar.

Pois, afinal, os argumentos de que dispomos não se contrapõem a este fato? Não somos levados a fundar uma antipatia entre o psicótico e a psicanálise?

Em todo caso, esta é uma das conseqüências que os analistas pensaram que podiam extrair da foraclusão do significante do Nome-do-Pai e de sua irreversibilidade, sustentada por Lacan até seus últimos seminários. De fato, a demanda de análise do psicótico deriva diretamente dessa foraclusão. O ponto de partida de sua demanda de análise é o que eu chamaria uma significação em suspenso — poder-se-ia até dizer uma significação que ameaça e que, por este fato, torna-se ameaçadora. E se um psicótico procura um analista é porque espera dele que faça chegar a seu termo essa significação que, à falta de um significante privilegiado — o Nome-do-Pai —, não pode advir. Aqui, evidentemente, ele se engana. O analista não tem certamente o poder de enxertar esse significante; mesmo assim, está feita a abertura de um saber suposto — o que é o essencial.

O psicótico não é aquele que sabe. O que os psiquiatras chamam de convicção delirante já é, de sua parte, uma interpretação. A confrontação do psicótico com o fenômeno elementar, pelo contrário, é o enfrentamento com um real, precisamente, sem mediação, e em particular sem a mediação de um saber.

Justamente porque se empenha em reencontrar-se nesses fenômenos — dominá-los —, ou seja, quando trata de dar-lhes uma significação, é que o psicótico procura um saber para efetuar essa mediação. É aí, nesse momento de hesitação do sujeito, que o analista pode fazer as vezes de sujeito suposto saber. Isto, evidentemente, não se produz com *todo* psicótico. Mas justamente: eu só interrogo aqueles que demandam uma análise — não os outros.

Encontrar UM *pai*

No fundo, por que não admitir nessa significação em suspenso aquilo que, para o psicótico, faria sintoma? É aliás por essa falta de significação, esse circuito interrompido, que o psicótico pode queixar-se de estar separado, cortado da palavra a ponto de sentir-se ameaçado de mutismo. É que a função da palavra lhe escapa e deixa-o por inteiro em um campo de linguagem sem referência, sem limite — no qual pode perder-se. Neste sentido, o analista é de fato suposto saber o que fazer com a função da palavra.

Vê-se por que certos analistas puderam testemunhar inícios de análise de psicóticos que consideraram ser desencadeamentos de psicose — porque lhes parecia que um delírio tomava aí seu impulso.

Vocês sabem também que se pôde explicar esses começos aproximando o encontro com o analista ao mecanismo de desencadeamento da psicose tal como foi descrito por Lacan — isto é, desse encontro do *Um* pai. Posto que nenhum significante sustenta seu lugar no simbólico, esse *Um* pai, real, é *Um* pai e não *O* pai. Nem sequer considerando-se pais, a exemplo de Freud, os analistas funcionam como tal.

Um psicótico pode demandar uma análise e nela se engajar porque esse encontro *já* se produziu, desencadeando esse acidente da função da palavra cuja reparação o sujeito demanda junto ao analista. E, de fato, se um delírio pode tomar impulso a partir da introdução do sujeito suposto saber, é que a palavra, desde então, será utilizada pelo sujeito para produzir a significação que lhe falta — quer dizer, para construir uma metáfora substitutiva da metáfora paterna, metáfora que tenha efeito de significação.

Por certo fala-se habitualmente, neste caso, de metáfora delirante. Mas por quê? Não certamente porque o sujeito deixaria de reproduzir aí a história do pequeno Édipo — pelo contrário, isto é visível. Certo paciente, chamado de esquizofrênico pela autoridade psiquiátrica muito antes de procurar-me, levou seu esforço associativo a descrever minuciosamente sua genealogia nas três gerações que precediam a sua, incluindo os ramos colaterais. Este era o registro que lhe parecia apropriado para elaborar uma metáfora que corria o sério risco de continuar sendo atípica.

O que está excluído, entretanto, é que aloje — como qualquer outro psicótico em análise —, é que repita, por ocasião da transferência, o que Freud chamava de neurose infantil. O analista, de fato, seja qual for o material associativo, está desprovido da sustentação da repetição para produzir uma significação. Se força um pouco além da conta neste sentido, seu paciente rapidamente o chamará à ordem empreendendo a fuga ou revelando a significação persecutória de todo saber pré-fabricado, que deixaria as particularidades do sujeito em um impasse.

O desencadeamento do gozo

São necessários outros argumentos para falar do delírio.

O imaginário edípico nada mais é do que uma conseqüência secundária da metáfora paterna e da função do Nome-do-Pai. A conseqüência primordial do Nome-do-Pai é a submissão da significação — isto é, a representação do sujeito pelo significante — à castração; ou seja, tem um efeito sobre o gozo. O Nome-do-Pai é o significante de um pacto, de um contrato que o sujeito faz com o Outro para repartir, partilhar o gozo. Deste contrato, tanto o sujeito quanto o Outro são tributários. É um artifício pelo qual o sujeito tenta acomodar, conciliar o real e o simbólico. Só podemos falar de delírio, a propósito da metáfora elaborada pelo psicótico, porque tal metáfora fracassa ao reproduzir esse contrato. Fracasso que se dá por não ocasionar uma repartição, uma limitação do gozo.

Eis por que não estamos ainda no cerne da análise do psicótico. Sabemos, com efeito, que o psicótico sozinho pode sair-se bem no que se refere à metáfora delirante. Schreber está aí para lembrar-nos disto. Pode inclusive estabilizar seu modo imaginário, organizar a "cascata de remanejamentos significantes", para retomar a fórmula de Lacan.

A metáfora delirante pode permitir aquilo que Lacan designa com o termo estabilização, parece-me, no sentido de que ela volta a dar uma função à palavra suficiente para organizar o campo da linguagem. Em contrapartida, tal equilíbrio é precário porque o deixa desarmado frente à intrusão, nesse campo, do gozo. Neste campo, o gozo está — se podemos dizer assim — desencadeado, como testemunham, por exemplo, as vozes e as alucinações.

Com efeito, o que liga o sujeito neurótico ao gozo é o fantasma. Mas o fantasma dá uma moldura ao gozo na medida em que a função da castração ali circula, como disse Lacan, entre o sujeito e o objeto: essa circulação do ($-\varphi$) é o que faz do fantasma uma cadeia. A exclusão da castração, no psicótico, tem o efeito de desencadear o gozo e nele deixar o sujeito.

Pôde-se interrogar sobre o estatuto do sujeito da psicose desde que a clivagem do sujeito ali se revela à plena luz e que a participação do sujeito (sujeito do gozo) encontra-se, de algum modo, perdida — no sentido de errância — no real, desconectada do sujeito do significante. Para restabelecer essa conexão, a metáfora delirante não basta: é preciso outra coisa, que o analista se oferece a encarnar. Por isso temos que supor, para explicar como o psicótico se mantém na análise, que o tratamento do psicótico é abordável a partir do discurso analítico.

A transferência erotomaníaca

Trata-se ainda de considerar com cuidado a idéia, um pouco apressada, segundo a qual o psicótico seria renitente ao laço social, pois laço social é uma das definições que Lacan dá para o discurso: é o que faz laço social. Assim, é notório que bastou com que se erigisse o Estado moderno para que, graças ao apoio da ciência médica, o louco fosse coletivizado, precisamente no asilo. E coletivizado especialmente a partir da identificação a um significante mestre específico desse estado — a saber, o proletário —, como testemunha a eficácia da ergoterapia. Neste sentido, o estilhaçamento do asilo é um efeito inquietante do estado atual do discurso do Mestre.

De resto, a clínica psiquiátrica nos mostra, mesmo que só no caso do delírio a dois, que a histérica também pode não recuar diante do que crê perceber do desejo de um psicótico — e fazer laço social com seu vizinho (ou vizinha).

Enfim, sabemos que a Universidade não hesita em encontrar um autor por trás dos escritos do psicótico. Joyce está aí para lembrar-nos disso. Estas observações poderiam ser desenvolvidas; não me detenho nelas.

Aqui o que conta é o discurso do Analista, com a seguinte precisão: como poderia operar o analista para cortar o gozo ao qual o psicótico está entregue? É aliás através desta pergunta que se manifesta, como fenômeno, no nível do fenômeno, a transferência do psicótico. Embora a demanda inicial do psicótico seja uma demanda de significação, o que a instalação da transferência fará emergir é o que evocávamos mais acima sobre o sujeito do gozo. Se em sua demanda inicial o psicótico espera do analista significantes próprios para organizar a desordem de seu mundo, em sua segunda demanda, aquela a partir da qual se orientará a transferência, o psicótico propõe seu gozo ao analista para que este estabeleça suas regras. É por este viés, inclusive, que parece instalar-se aí como objeto *a* e dar-se, entregar-se como tal ao gozo do analista.

O que é, afinal, a transferência erotomaníaca senão um estratagema pelo qual o sujeito se oferece ao gozo do Outro pelo viés do amor? Trata-se da versão exaltada da transferência do psicótico, provavelmente sua versão mais manejável, pois o laço de palavra, a presença do significante, é uma necessidade colocada pelo próprio amor que sustenta a articulação da demanda.

Mas, ao contrário do fenômeno erotomaníaco, o psicótico pode recusar essa mediação do amor e oferecer-se ao analista como abandonado pelo significante: puro dejeto que esperará em silêncio que alguém queira acolhê-lo. Pode suscitar, em certos analistas, vocações malogradas de *nursing* e maternagem. Tentação medíocre, no entanto, diante do risco que implica para o sujeito — o de cumprir até o fim aquilo que a invasão do gozo lhe dita; até o aniquilamento, quer dizer, o suicídio.

O fato de que a transferência conduza o psicótico a se oferecer como gozo do Outro talvez explique por que ele constitui o lugar de um questionamento errático do sexual. Certa paciente se verá obrigada a tornar-se boneca inflável de todo homem que encontra, passiva tão logo tomada. Tais fenômenos não precisam da análise, por certo, para aparecer. Manifestam aquilo que Lacan denominou *empuxo-à-mulher* da psicose.

Entretanto, caso se produzam na cura — portanto, caso possam ser considerados *acting-out* —, permitem supor, a meu ver, que o sujeito demanda ao Outro que produza um significante do gozo. De resto, não é a isto que se dirige o esforço de Schreber quando se propõe o ideal de tornar-se a mulher de Deus? Afinal, esta colocação do gozo em primeiro plano, esta subida abrupta do gozo à cena da transferência, resulta do fato de que tal gozo não é negativizado pela castração, isto é, o falo não opera ali sob forma negativa (— φ), ou ainda, nenhuma impotência vem coordenar o sujeito ao objeto com que goza. Por outro lado, é devido a essa negativização que a dialética do desejo não vem mascarar a instância do gozo como ocorre no neurótico. No entanto, talvez fosse um pouco apressado deduzir, a partir da prevalência do gozo, que o sujeito psicótico é estranho ao desejo — não mais do que o é, como vimos, à demanda.

Aliás é deixando em suspenso semelhante conclusão que o analista tem chance de servir para alguma coisa no tratamento do psicótico, ou seja, ter uma idéia de sua direção.

O silêncio do analista

No fundo, tal como tratei até agora de apresentar as coisas, é difícil distinguir o analista do Outro. Tanto quando o sujeito lhe demanda que sustente sua busca de uma metáfora de substituição como quando se oferece a seu gozo; nessas duas vertentes da transferência, o analista é a testemunha fascinada da conjunção entre real e simbólico em que o psicótico a cada instante corre o risco de perder-se.

O paradoxo de tal posição decorre do seguinte: o analista fica tentado a assumir em si a divisão do sujeito, a tornar-se sujeito dividido entre a função do significante e a do gozo. É o que revela um certo número de testemunhos de analistas que cedem a seu paciente psicótico o lugar do objeto para sofrerem da falta-em-ser produzida pelo significante. Sua atenção não mais flutua: entregues ao pensamento, inclinam-se para a livre associação que seus pacientes, inertes e sem palavras — se não sem voz —, causam.

Quer dizer que o lugar de objeto *a* já está ocupado? Toda a questão, com efeito, é desalojar dali o paciente. É neste ponto, parece-me, que pode ser abordada a questão da interpretação no que concerne ao tratamento do psicótico.

No fundo, trata-se de reintroduzir o gozo em uma função de semblante — isto é, reintroduzi-lo no discurso, aqui, discurso do analista. Pois se o psicótico assume o lugar do objeto é também na medida em que ele o é — como tal — como real. Quer seja dejeto do amor pelo excesso erotomaníaco, ou largado pela palavra, ele realmente sempre se faz, sempre é objeto do gozo.

Ao esforçar-me para dar argumentos à tese segundo a qual o psicótico convém ao discurso do Analista (e aos outros), tinha em mente, evidentemente, aquilo que Lacan designa com o termo fora-do-discurso. Mas no fundo, olhando de perto, pareceu-me que isto só poderia designar parcialmente a relação do sujeito com o Outro, precisamente a interpretação paranóica e a relação do esquizofrênico com seu próprio corpo.

De certo modo, indago se esse fora-do-discurso não designa justamente aquilo que poderíamos considerar como o objeto, digamos, à espera de ser tido como semblante. Teríamos então aí uma indicação para o analista introduzir-se no processo que, até o momento, o psicótico efetua sozinho, somente com um Outro à sua medida.

Paradoxalmente, o analista marcará sua presença, inicialmente, através de seu silêncio. Justamente porque essa presença silenciosa e inerte incita o sujeito a dirigir-lhe, de modo cada vez mais explícito, suas associações. É um silêncio que entrava, faz objeções às manobras com que o paciente procura submetê-lo. Tais manobras, contudo, têm no psicótico uma única finalidade: reintegrar o analista ao lugar do Outro do gozo. Ora, creio que só pode haver uma resposta possível a esta manobra — opôr-se a ela. Produzir, pela significação dessa recusa, um lugar esvaziado, livre de todo gozo. Um lugar em que o gozo é proibido para que nele se aloje o sujeito do significante.

Afinal, existe o significante dessa significação — é o *não*, o não da recusa, da pura negação. Talvez o analista só tenha esta palavra para dizer. Talvez seja, pelo menos, a única capaz de produzir um começo de efeito.

Evidentemente, essa resposta não é monótona, ou monolítica, a não ser no nível do equívoco, sempre na metade do caminho entre o juízo que rejeita e o insulto que identifica, retomando aqui uma indicação que Lacan dá em *L'étourdit*.

Trata-se uma vez mais de resolver este paradoxo: por um lado, tudo na teoria parece indicar que o dispositivo analítico não convém ao psicótico; por outro lado, os psicóticos se mantêm em um tratamento sem que, aparentemente, os analistas estejam ali diferentes quanto ao ato.

Assim, também aqui o analista é levado a fazer do gozo um semblante, isto é, a delimitar com isso um lugar vazio, livre de gozo. Esta manobra e seu efeito implicariam que a função de interdição que recai sobre o gozo não é, como tal, equivalente à castração — que, recordemos, continua sendo uma condição de possibilidade para o gozo sexual, no qual é, ao mesmo tempo, compromisso e artifício. Como, então, munir-se da castração para fazer advir a verdade do sujeito? Esta continua sendo a questão central da análise do psicótico.

Não se trata evidentemente de negar a diferença entre as estruturas clínicas; mas vocês sabem que Lacan se interroga sobre as relações entre o que é chamado, talvez um pouco apressadamente, de estruturas clínicas. Neste sentido, a psicose revela a estrutura do ser falante, rasgado entre o real e o simbólico. Por isto achei que o discurso analítico poderia acolher o psicótico.

Com uma restrição: a *técnica*. Pois, no fundo, se pensamos bem, a técnica é a única coisa que um analista não pode transmitir a um outro, já que ele próprio não pode transpô-la de um paciente a outro. Não há técnica da psicanálise porquanto há uma para cada tratamento. É a chance do psicótico encontrar, na psicanálise, uma prática do sujeito que nenhuma técnica regrada determina.

1984

Um psicótico em análise

Este caso poderia ser intitulado: um delírio para dois — a ser entendido como ao pedir um bife para dois num restaurante. Com efeito, o tratamento que evocarei implica a seguinte pergunta: até que ponto o fato de sustentar o lugar de analista com um psicótico não implica que o próprio analista participe do delírio?

Tornar-se paranóico

Deixemos, se querem, essa questão de lado, enquanto lhes apresento Frédéric. Quando me procurou, Frédéric não apresentava nenhum delírio manifesto. Ele acabava de sair de uma clínica psiquiátrica, onde havia sido precipitado por um estado de angústia e agitação extremas. Era preciso que o protegessem de si mesmo e dos outros, dizia, podia acontecer-lhe de tudo e sua morte era iminente. Isto no entanto era puro sentimento, sem conteúdo ou motivo. Essa angústia reincidiu parcialmente; neurolépticos e ansiolíticos permitiram-lhe retomar uma vida social quase normal.

Logo esclareceu que eu não era o primeiro analista que procurava, e ele próprio não duvidava de que esse episódio agudo era desencadeado em um começo de análise ocorrido um ano antes, que havia empreendido porque queria ser analista. Se me procurara, se persistira em sua demanda de análise, era porque, por um lado, não abandonara seu projeto de tornar-se analista, mas também porque via o analista como a única pessoa que poderia preservá-lo dessas ameaças — vagas e de impossível precisão — que pesavam sobre ele.

Por outro lado, por mais penosa que fosse sua atividade profissional, soubera sustentá-la na medida em que, como diz, ela o mantinha em contato com a juventude, em particular com os rapazes jovens, que eram seus objetos de amor privilegiados segundo o modo habitual do enamoramento cortesão. O que não excluía uma relação atual com um jovem, na qual se deliciava sofrendo.

Tudo isso era dito em voz baixa, quase inaudível, com locução extremamente lenta, cada palavra pronunciada com esforço, as frases não parecendo inacabadas ou interrompidas, mas antes lacunares, com partes suprimidas. Minhas perguntas apenas acentuavam a confusão e a imprecisão do que dizia. Assim teve início nossa relação, e assim Frédéric começou sua psicanálise.

O princípio era notavelmente animador, as sessões eram dedicadas a descrever sua relação amorosa, exibir suas ambições literárias e psicanalíticas e a verificar minha adequação ao que ele imaginava ser um analista lacaniano. Mas uma atividade marginal ganhou uma dimensão inquietante: consistia em passar horas ao telefone com quem estivesse na linha. Conversava assim com vozes de lugar nenhum. Logo tinha meu lugar nessa rede: telefonara-me tarde da noite só para dizer "alô", com uma voz que rapidamente identifiquei como sendo a sua, para depois ficar em silêncio. Quando o interroguei na sessão, terminou explicando que quando me telefonava assim estava apenas verificando se estava mesmo lá. Pareceu estabelecer-se um equilíbrio: seu amante, a rede telefônica, e, num canto, eu.

Mas o equilíbrio se quebrou: seu amante o abandonara bruscamente, levando consigo a maior parte dos objetos que Frédéric estimava. Enquanto isso, definira-se uma ameaça para ele: sua casa não era segura. A angústia reapareceu, e um dia me telefonou na hora de sua sessão para dizer-me que encontrara refúgio no hospital. Voltou a procurar-me quinze dias mais tarde, fazendo segredo de sua hospitalização, pois eu não devia ter nada a ver com a psiquiatria.

Retomou suas sessões como se nada houvesse acontecido, dizendo apenas que se mudara. Um dia recebi uma comunicação de casamento. Frédéric havia-se casado, de fato, sem nunca ter dito nada sobre essa dama que ocupava então seus pensamentos. Eu, de minha parte, só podia aguardar a continuação — que chamaria de delírio conjugal, após o delírio telefônico.

De fato, Frédéric não telefonou mais, nem à rede nem a mim. Ficou inclusive orgulhoso quanto a isso. Fim dos telefones para Frédéric, fim das vozes de lugar nenhum. Mas logo foi sua mulher que recorreu ao telefone. Para dizer-me que não suportava mais. As coisas iam mal entre eles, e o que me contava é que seu marido queria atentar contra a vida dela.

Frédéric recusou-se a dizer-me o que fosse. Somente me indicou que sua existência repousava por completo na boa vontade de sua esposa. Esta me contou que ela teve que se refugiar no hospital.

Precisei então exprimir a Frédéric que não pretendia avalizar suas ameaças de assassinato aceitando, por exemplo, que ele se calasse a esse respeito; caso contrário não queria vê-lo mais. O casal se separou, e Frédéric me deu seu novo endereço.

Pouco depois dirigiu-me uma dupla demanda. Por um lado, tive que confirmar que ele podia ser analista, e, para isso, encaminhar-lhe pacientes. Por outro lado, queria que eu conseguisse a publicação de um texto seu, que prometeu entregar-me. Meu propósito de não atendê-las era firme e definitivo. Frédéric me deixou, lamentando que eu estivesse tão pouco à altura de minha tarefa.

Voltou logo, tendo faltado apenas oito dias, indicando-me que percebeu que o outro analista que visitara nesse intervalo não era o adequado.

Desde então ocupou-se de mim, atentamente. Minha família, que espreita o quanto pode; meu apartamento, do qual verifica, discreta mas atentamente, a solidez das fechaduras; aquilo que escrevo, cuja correção doutrinária ele julga e sanciona. E assim estamos. Como podem ver, este tratamento nada tem de cura da psicose. Seria antes a maneira pela qual um psicótico se mantém em análise.

O alojamento de um psicótico num tratamento: pois Frédéric mora, tem seu abrigo no tratamento. Aloja-se nele tanto mais porque sou seu anfitrião, já que, com toda evidência, ocupei o lugar desse ponto central onde se organiza seu enamoramento. Lugar que fora antes ocupado pelo jovem, e depois por sua esposa.

E é nesse lugar que Frédéric me convoca para encarnar o gozo. Que esta série contenha primeiro um rapaz, depois uma mulher, depois um analista, indica de saída que esse gozo é fora-do-sexo, para além de toda baliza fálica. Aí é onde me espera — como que na esquina —, e a tal ponto que poderia ficar tentado a apoiar-me no semblante fálico para fazê-lo entender razões.

Com Frédéric não há outra referência para o semblante além da própria enunciação. E a cada vez é para mim um salto no desconhecido, nunca sabendo se o que lhe digo não será o ponto de reversão em que o enamoramento se torna perseguição. Felizmente Frédéric se acautela para que isso não ocorra, e com todas as forças. Atento a meus menores gestos, a minhas menores palavras, espreita minha vida e a de minha família; reúne tudo isso tecendo comentários, ou seja, faz tudo para manter-me no bom caminho. Sou o que ele tem de mais valioso.

Não apenas seu tratamento constitui para ele um abrigo, mas — pode-se dizer — ele se aloja sob a insígnia da psicanálise. De fato, agora sei um pouco mais sobre seu delírio. Sei um pouco mais disso porque é o próprio tratamento que propõe seu material. Frédéric faz com que eu me torne O Analista — com A maiúsculo, como o grande Outro * — mas sua missão, sua tarefa vai mais além: trata-se de que ambos, ele e eu, sustentemos toda a psicanálise. E fazendo isto, aliás, o próprio mundo, em sua totalidade, será salvo da destruição. Pois entre os milhões de mortes que esse cataclisma ocasionaria, Frédéric não poderia evitar que estivessem as de meus parentes próximos. Que o mundo não retorne ao caos, eis então a aposta do tratamento. Quem teria acreditado nisto de início, quando Frédéric parecia mais próximo da hebefrenia que de Schreber? Mas Frédéric assim nos ensina — pelo menos me soprou esta hipótese — que um psicótico só acede à análise sob a condição de que se torne paranóico. É o caminho necessário para que o analista possa fazer um pacto com o Outro do sujeito psicótico pelo viés, pela transição de uma metáfora delirante.

Gestão do gozo

Pois trata-se de que, nessa transferência? Que se passa, nela, com o sujeito suposto saber? O neurótico vem à análise apontando sua

* Evidentemente, em francês: *Autre*. (N.T.)

pergunta na direção do saber — é ao saber que a suposição é atribuída, e o analista é designado por inteiro para suportar essa suposição de saber.

Não é por aí a pergunta do psicótico. O problema que o psicótico propõe é o do sujeito. Do sujeito como suposto ao saber. Ora, quando o saber emerge para o psicótico, quando surge diante de seu nariz, é antes como saber do Outro. E não é um saber suposto, mas um saber que se impõe ao sujeito. E quando o saber do Outro se impõe ao sujeito, sabemos no que dá: um delírio. Por isto acho que o analista tem, antes, interesse em tomar as maiores precauções caso pense que deve devolver ao sujeito o que acabou aprendendo de seu saber inconsciente — do saber do Outro. É melhor que pense duas vezes, se não quer ser o perseguidor. O que faz com que não seja em sua vertente de repetição — repetição do retorno do recalcado — que a transferência irá sustentar a análise do psicótico. Não é, se querem, a partir do que teria que saber do seu inconsciente.

Com o psicótico, a transferência é o motor do tratamento na medida em que permite ao sujeito interrogar seu gozo. E, como vimos, é nesse lugar que Frédéric me determina — o que eu tenho para Frédéric, o que ele deixa sob a minha guarda, é aquilo de que se pode gozar: mulher, crianças, a análise, os pacientes. Mas ele vigia, controla, verifica se uso tudo isso segundo a sua própria ética. E não deixa de admoestar-me quando revogo as regras implícitas que ele me impõe.

A partir disso, é possível iluminar um pouco a direção desta cura. De fato, minhas intervenções mais marcantes — proibições ou indicação, de minha parte, que ele delira —, assim como, por outro lado, o que ele sozinho depreende de meus gestos ou de acontecimentos que nota em torno de mim — a partir do qual se esforça para elaborar uma significação —, tudo isto converge para indicar-me um só e único dever: gerir o gozo de que me faz guardião.

Decerto que nada faço além de ocupar um lugar necessário à sua manutenção na existência. Seu amante e sua mulher não tinham outra função. Mas até o presente, ao que parece, o analista evita que se detone para ele a perseguição, não obstante sempre ameaçadora. Se ele delira, é no contexto estrito da psicanálise e em torno de minha pessoa, protegendo os dois, precisamente, da perseguição.

O procedimento freudiano, o dispositivo analítico permite a Frédéric uma gestão de seu gozo. Tal gestão provavelmente poupa-o das oscilações schreberianas que apresentava, por exemplo, com seu amante ou sua mulher, e que o conduziram ao hospital. A análise oferece a Frédéric a possibilidade de uma economia do gozo pelo viés do amor de transferência, do qual podemos perguntar se, em especial para este paciente, não encontra seu modelo no amor cortesão. Serei eu a Dama de Frédéric? Isto ao menos explicaria que a margem de manobra que ele me deixa é antes reduzida. Por um lado, essa manobra consiste primeiro em não recuar, não ceder diante das insígnias do amor que ele prende, diria que pendura em minha pessoa. Não há possibilidade de rejeição, que seria apenas uma denegação irrisória.

Eis por que seria penoso para mim dizer-lhes a palavra final desta história. Talvez Frédéric a saiba, mas não me disse ainda. Poderia mesmo acrescentar que também não me deixa saber pelos sonhos. Eu não sonho com Frédéric, ele antes me acorda, quando não me impede de dormir. Mas mesmo assim me diz uma coisa: que espera que eu fique no mesmo lugar, sessão após sessão, para que ele, por seu lado, possa regressar. É a isto que me sujeito, tanto tempo quanto ele me demande.

1983

A confissão do fantasma

Introduzir uma continuidade entre o inconsciente e o isso não é coisa evidente. Afinal, estamos acostumados a considerar o inconsciente como um blablablá, ao passo que o isso é antes silêncio — e mesmo, como indica Freud, silêncio de morte. No fundo, quando Lacan diz "isso fala", isto representa uma espécie de acosso, de forçamento. Normalmente, "isso" não fala. Quem fala é o Outro, o que não dá no mesmo.

Escolher como título "A confissão do fantasma" — título que me foi inspirado pelo curso de Jacques-Alain Miller — parecia-me uma forma de, como um eco, retomar o acosso do "isso fala".

Não se confessa um sonho, a não ser por falsa pudicícia. Livra-se de um sonho. Espera-se com impaciência para relatá-lo a seu analista. Do ponto de vista estritamente da associação livre, portanto, sonho e fantasma têm um estatuto diferente.

Interpretar o sonho

Os sonhos, sabe-se, são formações do inconsciente. O fantasma é outra coisa. Estaria tentado a dizer: formação da pulsão, deixando-me guiar pela oposição que dá seu título a nossas jornadas.

De resto, observo que sonho e fantasma não têm o mesmo estatuto nem junto aos analistas, nem junto aos analisantes. Não se associa a partir de um fantasma; o curso de Jacques-Alain Miller desenvolveu suficientemente este ponto para que eu não insista mais.

A partir de um sonho, em contrapartida, convém associar, extrair seu conteúdo latente, como diz Freud. No entanto, é inegável que os analistas não têm mais o mesmo ponto de vista que Freud a esse respeito. Em particular, parece que o relato de um sonho já não convoca com a mesma constância uma interpretação.

Tentemos explicar o fato — que marca uma mudança na prática — de que a interpretação de um sonho não é uma necessidade.

O inconsciente de um sujeito em análise, de um analisante — partamos daí — é um inconsciente completado pelo sujeito suposto saber. Trata-se de um inconsciente que faz um contrato, explicitamente, com o saber. Um inconsciente sob transferência é um inconsciente no trabalho do saber, quer dizer, aquilo que produz adquire para o sujeito valor de significação.

O inconsciente certamente não espera estar sob transferência para produzir suas formações; mas em geral estas formações são ou bem enigmáticas para o sujeito, ou bem passam despercebidas para ele. Ao terem como endereço, como destinatário, um analista, tais formações se esclarecem com uma significação. No fundo, o analisante não demanda tanto ao analista que produza uma significação, mas que sancione alguma das que ele próprio propõe.

O inconsciente completado com o sujeito suposto saber é um inconsciente posto no trabalho da interpretação. Assim, quando Freud estabelece que o sonho é uma realização do desejo do sonhador — poder-se-ia acrescentar: quando este sonhador está em análise —, o relato do sonho, que não é o sonho, é a interpretação do desejo. Se o sonho é a via régia de acesso ao inconsciente, tal via é também saída, emergência do inconsciente. Então, para que acrescentar algo, para que iria o analista atenuar a pureza dessa emergência com uma significação de sua lavra?

Evidentemente há uma objeção. Essa interpretação, que o analisante produz com a ajuda de suas palavras, será escutada por ele mesmo como o é pelo analista que efetivamente a recebe? Nada, de fato, é menos seguro.

Todo sonho, no contexto de um tratamento, é, no fundo, um sonho de transferência, simplesmente porque seu relato é destinado ao analista. Fazendo esse relato — isto se constata cotidianamente — o analisante fica aliviado. Aliviado de uma mensagem emitida pelo Outro, proveniente da Outra cena. Isto quer dizer, também, que ele é apenas seu portador. É um dos sentidos da palavra transferência. A tarefa do analisante é dizer seu sonho, mas cabe ao analista sustentar o saber que este implica.

Por que deveria o analista assegurar-se de que o analisante compreendeu a mensagem que ele transmite? Sabemos, desde Freud, que a verificação em matéria de análise está alhures: precisamente no surgimento de um novo material, isto é, também no sonho seguinte. Por isto, o sonho não é necessariamente um material a interpretar — a traduzir em uma significação —, mas deve antes ser concebido como uma interpretação que revela — ao analista — o movimento do inconsciente, quer dizer, os percursos que o sujeito ali efetua.

Haverá decerto um tempo em que o sujeito irá endossar o saber que porta o sonho e que produz o inconsciente; mas esse tempo, sabemos que é preciso deixá-lo à vontade para dá-lo — para dar tempo ao tempo, o quanto for preciso.

Então surge uma pergunta: o inconsciente sob transferência faz concorrência ao analista? Uma concorrência desleal, pois sabe mais do que ele. Afinal, é o próprio inconsciente que o diz, sem sabê-lo. Está em seu poder recusá-lo ao analista — calar-se, por exemplo —, ou melhor, enganá-lo. Pois um sonho destinado a enganar o analista sobre o desejo, um sonho que mente — como sabemos desde a jovem homossexual tratada por Freud —, é completamente possível.

No entanto, que o analista tenha ciúmes do saber que o inconsciente lhe recusa ou falsifica, isto só se dá na medida em que o analista se considere seu rival, isto é, ache que é o outro.

Uma criança é humilhada

Agora ilustrarei estas reflexões. Um paciente, voltando das férias, contou-me o seguinte sonho, que tivera justamente na noite anterior à primeira sessão após as férias.

Ei-lo: veio à sessão para dizer-me precisamente o que preparara durante as férias — que queria interromper a análise. Enquanto me falava dessa vontade, ele me via telefonar, remexer em meus papéis, olhar pela janela, enfim, manifestar uma extrema indiferença, inclusive voluntariamente descortês. O sonhador ficou completamente transtornado, comovido, furioso também, mas antes repleto de um demolidor sentimento de humilhação — que o despertara.

Este sonho me deixou de orelha em pé, pois resolvera as minhas anteriores aparições noturnas que há vários anos salpicavam as noites desse paciente. Até então, eu aparecia sobretudo com traços calorosos, acolhedores e solícitos do bom terapeuta, e até mesmo do amigo ternamente amado. Terapeuta, por outro lado, podia considerar-me assim, pois seu balanço prévio à nossa separação de verão demonstrara uma incontestável melhoria sintomática: angústia, insônia, submetimento aos imperativos parentais, condutas sintomáticas — tudo isto havia desaparecido.

No entanto, o que constituía o fundo de seu sofrimento parecia-me estar longe de estar resolvido. Esse sofrimento, com efeito, estava ligado ao que, para mim, podia se manifestar como um fantasma, que eu formularia segundo o modelo freudiano: uma criança é humilhada — pelo pai. Tudo o que se referia ao que convém chamar de sintoma convergia para esse ponto preciso onde sua subjetividade se anulava, dissolvendo-se no surgimento de uma humilhação.

Seja atravessando situações de sua vida cotidiana em que padecia sob a autoridade de um superior hierárquico, seja tentando, e conseguindo, dobrar o outro ante suas exigências; seja, enfim, assistindo impotente os espetáculos do mundo em que o fraco e o pobre suportam a dor de existir, sempre sobrevinha, irremediavelmente, esse momento de aniquilação que ele nomeava com o termo humilhação.

Claro, a intensidade desse sofrimento não fazia dele um analisante modelo. Tal sofrimento — poderíamos dizer: sua extrema sensibilidade — justificava mesmo que se rebelasse contra as coerções do tratamento, onde via, precisamente, um esboço dessas situações que temia e encontrava a cada momento de sua vida.

Ter-se-á compreendido que, desse ponto de vista — o ponto de vista da transferência — ele me procurava. Meu trabalho, creio, consistia em que não me encontrasse, isto é, em recusar esse enfrentamento a cujo término, graças a esse sofrimento enfim reencontrado em meus cuidados, ele teria me deixado.

Certamente em momento algum me pareceu possível, nem desejável, comunicar-lhe o que Freud chamaria de uma construção: a de seu fantasma. Este fantasma passava completamente despercebido para ele, ao passo que não deixava de atuá-lo em sua psicopatologia cotidiana. Certo, ele me confiava o sofrimento que ali encontrava, mas este não constituía uma questão para ele. Ao mesmo tempo em que me convertia, com essa confissão, em testemunha de seu sofrimento, esforçava-se, mesmo sem sabê-lo, para tornar-me também seu ator — e isto na transferência.

Se podemos falar em construção, é para designar seu esforço para fixar-me no contexto de seu fantasma, que se transformava pouco a pouco no da própria transferência. Por isto, encontrar tão claramente essa construção deixou-nos, tanto um como outro, intrigados e perplexos. Claro, o paciente não demorou a encontrar uma interpretação: com minha indiferença, eu o punia por querer deixar-me. Contudo, como observou logo, isso decididamente não tinha a ver comigo. E, sobretudo, por que então fazer de mim o agente de seu sofrimento? Realmente, eu era o último a quem gostaria de confiar esse papel.

Eu também não acho, de modo algum, que esse sonho seja evidente. Parece-me problemático que o fantasma passe ao inconsciente para produzir-se em um sonho. Não, certamente, no sentido de que um fantasma faz parte dos pensamentos, das associações diurnas do sujeito, e por isso pode muito bem constituir o material de um sonho. Para esse sujeito, o que girava em torno desse sonho era ou bem uma experiência sofrida e agida, ou bem uma construção conjectural de minha parte.

A travessia do fantasma

Quando Freud fala do tempo silencioso do fantasma, refere-se efetivamente ao inconsciente — mas, no fundo, não há nenhum traço, nenhum retorno do recalcado. É por pura dedução lógica que Freud constrói este fantasma originário: "Uma criança é espancada".

Por esta razão não me pareceu evidente que um sonho o representasse tão explicitamente.

A questão se coloca, aliás, tanto para a operação que permite essa passagem ao inconsciente quanto para as implicações quanto ao eventual momento do tratamento que viria marcar.

Formulemos a pergunta de outro modo. Será que a representação onírica do fantasma indica que o que este fixava de gozo tenha passado ao inconsciente, isto é, que seja suportada pelo significante? Será possível supor que o modo particular de acesso ao gozo para esse sujeito passe a ser semblante e se torne, com isso, mobilizável, isto é, negociável em termos de castração?

Se aceitarmos esta hipótese — aliás, por que recusá-la? —, parece que a operação que permite essa passagem esclarece a observação de Lacan segundo a qual a interpretação nutre o inconsciente, às expensas — diria eu — do registro pulsional, ou seja, às expensas daquilo que habitualmente prescinde da palavra. Entendo aqui por interpretação simplesmente a instalação e funcionamento do sujeito suposto saber, isto é, o esforço para alojar um saber onde só o gozo sustentava o sujeito.

Falta definir onde estamos nesse tratamento, quer dizer, qual a relação desse sonho com aquilo que Lacan designa com a famosa "travessia do fantasma", que é um pouco, para cada analista, como a baleia branca de Moby Dick.

É inegável que o próprio fantasma atravessou a cena, e mesmo a Outra cena, a do inconsciente. O fato de que nos tenha feito um pequeno sinal através da janela do sonho permite supor que o sujeito não está longe dele.

Continua sendo problemático que o sujeito atravesse esse limiar. A interpretação que o próprio sujeito dá desse sonho permite pensar, pelas denegações que abriga, não que admite abandonar, mas que volta a demandar a representação que acabou fazendo de mim.

A continuação talvez permita resolver; ainda não chegamos lá.

1984

A interpretação da demanda

No que concerne à interpretação da demanda, não estou certo de que seja preciso considerar como coisas óbvias a articulação do desejo com a demanda, sua estrutura e mesmo sua fenomenologia.

Freud tinha uma palavra para isso: *Wunsch*. O *Wunsch* existe em francês: é habitualmente vontade ou voto* — mas, se acredito no dicionário, é tanto o desejo quanto a demanda, segundo o uso.

O *Wunsch* tem uma utilização bem precisa para Freud no começo de sua obra: reporta-se ao sonho, o sonho realiza o *Wunsch*. O que a palavra voto, ou vontade, conota de hipotético, de condicional, cabe muito bem, afinal, ao mundo onírico.

Quando a pequena Anna Freud, com dezenove meses, é posta em dieta devido a uma indigestão que a babá atribui aos morangos, a pequena Anna, de barriga vazia, sonha com morangos.

Vêem o benefício que ela tem com esse sonho. Por um lado, evita uma demanda que, ela sabe, seria recusada. Por outro lado, satisfaz seu desejo de morangos. Só que estes não têm outra consistência senão a do significante — a da representação, para dizê-lo como Freud.

Mas atenção, esses morangos-significantes podem ter tanto sabor, e até mais, que os do jardim. A única coisa que lhes falta são as calorias — mas, como Anna era bem nutrida nessa época, não estava envolvida qualquer necessidade vital.

---

* No original: *le souhait ou le voeu.* (N.T.)

Então, duplo benefício: Anna não tem que demandar, e mesmo assim seu desejo se vê satisfeito.

Isto, evidentemente, é uma simplificação. É provável, por exemplo, que papai Sigmund não tenha introduzido entre Anna e os morangos grandes proibições — caso contrário, ela poderia ter sonhado com girassóis, e obter tanto prazer como se essa proibição houvesse exigido um deslocamento do trabalho do sonho. Do mesmo modo poderíamos dizer que, sabendo da curiosidade do pai pelos sonhos, o desejo inconsciente de Anna encontrou o caminho do Outro ao sonhar em voz alta — isto é, formulando, de todo modo, uma demanda.

Toda palavra é uma demanda

Pode-se dizer, para simplificar, que a demanda extrai sua consistência de uma palavra endereçada ao Outro, ao passo que o desejo é situável primeiro a partir do inconsciente, mesmo que possa produzir-se, por exemplo, no fenômeno do devaneio acordado — que se reporta, como sabem, ao fantasma.

Estamos aqui no cotidiano de todo ser falante, não na análise, mas gostaria de situar logo essa passagem pela palavra, necessária para que o Outro ganhe uma consistência — por exemplo, a de interlocutor —, pois o Outro, aqui, é aquele que funcionará como pivô entre desejo e demanda. O que ilustrarei com um exemplo muito comum: um homem faz a corte — como se dizia há uns anos — a uma mulher — declara-lhe sua paixão. Concordarão que o desejo — sexual; portanto o desejo por excelência — está em jogo aqui. Ele certamente pode dizer-lhe que é bela e outras coisas lisonjeiras, e chegará o momento em que não poderá deixar de demandar alguma coisa. Por exemplo, pedi-la em casamento. Seja o que for, tudo isso, todas as variações ao infinito da própria língua são demandas — suportadas por significantes. Esses significantes da demanda só têm, nessa ocasião, uma significação: o desejo sexual do homem. Vêem que aqui a distinção consciente/inconsciente não é pertinente, pois nosso suspirante tem essa significação claramente na cabeça: aliás, só pensa nisso. E certamente pode dizê-la sem cerimônia em sua demanda — os costumes evoluem. Pode muito bem dizer cruamente que deseja fazer amor, e mesmo assim isso será uma demanda. Por quê? Porque espera de qualquer modo uma resposta daquela a quem se dirige.

Só essa resposta é que... decidirá sobre o desejo que sua demanda significava. Poder-se-ia mesmo dizer que tal resposta enunciará seu desejo.

Este apólogo permite situar algumas referências:

— o desejo, para ganhar consistência — consistência de significante —, não pode deixar de assumir por empréstimo o modo da demanda;

— esse circuito mínimo do desejo implica o revezamento do Outro, onde a demanda assume uma significação que equivale ao próprio desejo;

— enfim, essa resposta do Outro enuncia o desejo, porém sob a forma de desejo do próprio Outro.

De fato, o que nossa interlocutora responde não será, para o sujeito que provoca essa resposta, uma demanda; será claramente o enunciado de um desejo. Só ao considerar essa interlocutora como um sujeito é que sua resposta seria eventualmente uma demanda.

Eis por que Lacan pôde dizer que em todo desejo há um desejo de reconhecimento, e sobretudo que o desejo do sujeito é primeiro desejo do Outro.

Eis também por que o sujeito pode ter algumas surpresas. Mesmo se o sujeito de nosso apólogo sabe de seu desejo, pode aprender sobre ele. Pode descobrir, por exemplo, que a concordância de sua interlocutora não o entusiasma tanto quanto esperava; ou, pelo contrário, que uma recusa o alivia; pode também descobrir que, se sua demanda é desajeitada ou mal preparada, seu desejo talvez não estivesse tão bem decidido. Deixo-os a imaginar outras variações...

O fantasma como resposta

Fica evidente, afinal, que a resposta do Outro interpreta a demanda — revelando o quê? Revelando que todo desejo, mesmo o aparentemente mais "pensado" pelo sujeito, não pode ser esgotado inteiramente pela demanda, comporta sempre um *x*, uma incógnita, e que é o outro quem detém a solução desse *x*.

E por razões mais fortes, quando o sujeito nada sabe de seu desejo, o valor desse x aumenta evidentemente na mesma medida.

O que quer dizer que o sujeito nada sabe de seu desejo? Simplesmente que esse desejo lhe desagrada.

Mas esse desejo — embora desprazeroso — exprime-se, e isto precisamente sem que o sujeito o saiba: o sujeito pode até não saber que suas palavras enunciam um desejo. Pode não saber que ao falar com determinado interlocutor está lhe demandando alguma coisa, pois este interlocutor, por razões que podem ser extremamente variáveis, tem uma relação com este desejo do qual nada quer saber.

Se por acaso o interlocutor não responde, e em vez disso põe, meticulosamente, o dedo na ferida — ou seja, interpreta, mesmo que não seja expressamente —, o efeito de sua resposta pode ir mais longe: exatamente, até provocar angústia no interlocutor.

Habitualmente não é este o caso, é muito raro. Por quê? Porque todos têm uma resposta pré-fabricada à sua medida, que dá abrigo e protege de semelhante interpretação de seu desejo vinda do Outro. A resposta pré-fabricada que permite a cada qual ser quase autista é o *fantasma*. Em seu funcionamento habitual, o fantasma é um sustentáculo do desejo precisamente porque permite ao sujeito levar a um impasse, a um curto-circuito, essa resposta intrusiva do Outro. Desse ponto de vista, o fantasma é uma interpretação do desejo do Outro — de múltipla utilidade — que o sujeito se faz, de uma vez por todas (fora de análise). Interpretação que lhe permite relativamente bem fazer concordar com o desejo do Outro aquilo que situa como seu desejo.

Quando discordam, bom, aí não funciona: o sujeito se vê então constantemente confrontado com as respostas do Outro que não lhe convêm, mas percebe que essas respostas, por mais desagradáveis que sejam, no entanto apontam ao cerne mesmo de seu ser. Elas não são simples acidentes do mundo, reenviam-lhe uma significação que lhe concerne.

Simplificação da demanda inconsciente

Quando um paciente chegou até aí, pode procurar um psicanalista. Assim, pode-se conceber o psicanalista como aquele que se propõe a encarnar o lugar onde se encontra a solução do *x* do desejo — é sua vertente sujeito suposto saber. Por isso mesmo, contudo, ele se situa no ponto de convergência de todas as demandas formuladas pelo sujeito. Iremos mais longe: pelo fato de que o *x* em questão é, devido à demanda de análise um *x* radical, o cerne mesmo do desejo, o mais desconhecido pelo sujeito, a demanda que lhe concernirá será também a mais disfarçada, a mais longínqua — aparentemente. Em toda palavra, em todo dito do analisante há uma demanda, habitualmente inconsciente, dirigida ao analista, que se constitui deste modo como referente último da palavra do sujeito. Aí está a vertente *agalma* do analista.

O analista, segundo uma idéia vigente, não responderia à demanda. Como toda idéia vigente, esta tem seu valor: o analista não está aí para satisfazer as vontades, saciar todos os caprichos de seu analisante. De resto, mesmo que quisesse, não o conseguiria! Há, no entanto, pelo menos uma demanda que ele já satisfez: a demanda de análise. A seguir, há certas demandas às quais pode responder: horários, número de sessões...

Mas sigamos adiante. Eu diria que há uma demanda à qual ele sempre responde: é a *demanda inconsciente*. Sempre responde a ela, mais cedo ou mais tarde — quer dizer: lhe dá uma resposta. Evidentemente, a resposta mais freqüente é o silêncio. Mas é antes um silêncio que tem todo seu peso por abrir ao sujeito o campo infinito das respostas possíveis — possibilidade que eventualmente pode deixá-lo sem fôlego. É também um silêncio preenchido mais que nunca pela presença, digamos, "do Outro" que ainda não é a solução do *x,* mas anúncio, às vezes ameaçador, dessa solução.

Ocorre por isto que o analista responde, ou seja, dá voz, precisamente para evitar que essa presença se torne demasiadamente pesada, porque aquele não seria ainda o momento, por exemplo.

Evoquemos brevemente, para concluir, o caso de um homem jovem cuja demanda de análise resume-se nisto: ele queria saber o que é um pai. Não que não o tivesse, mas o que tem nunca lhe pareceu à altura. No fundo, esteja onde ou com quem estiver, seja este mulher ou homem, espera que ele (ou ela) mostre-se à altura e lhe indique o caminho a seguir. Fazendo isto, certamente espreita a menor falha desse Outro para jogá-lo de imediato no lixo. Entretanto, não resmunga diante da tarefa: aquilo que espera do Outro, ele mesmo está prestes a encetar. Não recua diante da concorrência.

Há aqui um movimento, uma conduta (poderia dizer moção, aludindo ao termo freudiano *Regung*) subjacente à sua análise — quer dizer, ao conjunto de demandas que nela se formulam — e, também radicalmente, à sua própria existência, com uma aposta ainda difícil de avaliar mas certamente considerável.

Por trás da busca de um significante ideal, o que subjaz nessa demanda é a satisfação — propriamente pulsional — que conduz o paciente a fazer desse ideal uma férula cuja punição reclama incessantemente a todos e a todas. Percebe-se que para além dessa demanda idealizante se perfila a dimensão do fantasma, cujo modo de expressão, para o neurótico em análise, é a demanda. Tal demanda deve aqui ser entendida como demanda inconsciente e, poder-se-ia dizer, posta em cena pela transferência.

Mas percebe-se também que, para dissociar demanda e fantasma, é necessário fazer surgir uma resposta que interprete a demanda, ou, mais precisamente, que faça surgir o x do desejo que mencionei acima. Eis por que Lacan pode dizer que a interpretação é o próprio desejo.

Mas, para esse homem jovem, o x último do desejo não pode ter outro efeito senão o de questionar — é o caso de dizê-lo — esse pai em que acredita. Além disso, decidir sobre essa demanda não é coisa a ser feita sem saber onde se está pisando, isto é, sem poder avaliar as possibilidades de que o sujeito construa um fantasma ali onde são cortados os jarretes de sua demanda.

1984